内容提要

本书是与《大学计算机基础》（陈越洲、张蔚、夏永琳主编，湖南教育出版社出版）配套使用的实验教程。

本书共分五章，第一章为 Windows 7 操作系统应用；第二章为 Word 2010 文字处理；第三章为 Excel 2010 表格处理；第四章为 PowerPoint 2010 制作演示文稿；第五章为 WPS 2016 简单应用。本书将实验任务分为"验证性实验"和"拓展性实验"两类。"验证性实验"侧重基本操作和应用的理解；"拓展性实验"介绍关联的重要知识点或操作要点，要求学生能够触类旁通、举一反三。

本书即可作为高等院校学习大学计算机基础课程的配套实验用书，也可以作为计算机等级考试的辅导教材，还可以作为从事计算机应用的科技人员的参考书或培训教材。

第二版前言

本书是与《大学计算机基础》(陈越洲、张蔚、夏永琳主编，湖南教育出版社出版)配套使用的实验教程，根据教育部大学计算机课程教学指导委员会提出的有关“大学计算机基础”课程的教学基本要求（白皮书）编写而成。

本书共分五章，第一章为 Windows 7 操作系统应用；第二章为 Word 2010 文字处理；第三章为 Excel 2010 表格处理；第四章为 PowerPoint 2010 制作演示文稿；第五章为 WPS 2016 简单应用。本书提供每章思考题的参考答案。

本书将实验任务分为“验证性实验”和“拓展性实验”两类。“验证性实验”给出详细的操作步骤，侧重基本操作和应用的理解、掌握；“拓展性实验”介绍关联的重要知识点或操作要点，侧重综合应用的考核，要求学生能够触类旁通、举一反三。

同时，为了方便教师的实验管理，编者组织开发了一套与实验教材配套使用的实验系统。该系统采用 C/S 模式，能够自动完成实验的考勤、操作评价并生成实验报告。系统提供的单元测试功能可作为实验课程考核的主要依据。该实验系统的单机版可供学生自学使用。

本书第一章和第五章由肖必武编写，第二章和第三章由周洁昕编写，第四章由陈越洲编写，全书由肖必武统稿。第二版实验教程在原来的基本上增加了视频教学内容，以便学生更好地掌握操作要点，改版工作由肖必武完成。本书在编写过程中得到中南林业科技大学计算机与信息工程学院院领导以及计算机基础教研室全体老师地大力支持，在此一并表示感谢。

由于时间仓促以及编者水平有限，书中如有错误或不当之处，恳请专家、教师和读者批评指正。

编者

2019 年 7 月

普通高等教育“十三五”规划教材

DAXUE JISUANJI JICHU SHIYANJIAOCHENG

大学计算机基础实验教程

（第二版）

主编 肖必武 周洁昕 陈越洲

湖南教育出版社
HUNANJIAOYUCHUBANSHE

图书在版编目(CIP)数据

大学计算机基础实验教程 / 肖必武, 周洁昕, 陈越洲主编. -- 长沙 : 湖南教育出版社, 2017.8（2022. 8 重印）

ISBN 978-7-5539-5619-0

Ⅰ. ①大… Ⅱ. ①肖… ②周… ③陈… Ⅲ. ①电子计算机－高等学校－教材 Ⅳ. ①TP3

中国版本图书馆 CIP 数据核字(2017)第 191773 号

策划编辑　刘文婷　　　　责任编辑　刘文婷
封面设计　学呜创客　　　　排版设计　邹满辉

书　　名：大学计算机基础实验教程（第二版）
主　　编：肖必武　周洁昕　陈越洲
出版发行：湖南教育出版社
地　　址：长沙市韶山北路 443 号
网　　址：http://www.hneph.com　http://www.shoulai.cn
发 行 部：0731-85520531
编 辑 部：0731-85558352　csgaojiao@163.com
印　　刷：湖南贝特尔印务有限公司
经　　销：湖南天易创图文化有限公司

开　　本：787 × 1092　1 /16
印　　张：8.75
字　　数：202 千字
版　　次：2017 年 8 月第 1 版　2019 年 7 月第 2 版
印　　次：2022 年 8 月第 2 版第 4 次印刷

书　　号：ISBN 978-7-5539-5619-0
定　　价：32.80 元

目　录

第一章　Windows 7 操作系统应用

第一节　验证性实验

任务 1:桌面管理

【任务描述】

1. 在桌面创建 Word 2010 应用程序的快捷方式(名称:Word 2010)。

2. 修改桌面图标的排列方式为“名称”。

【操作步骤】

1. 在桌面创建 Word 2010 应用程序快捷方式的主要步骤如下:

(1)按【Win + E】组合键打开 Windows 资源管理器。

(2)打开文件夹 C:\Pragram Files(x86)\Microsoft Office\Office 14(如图 1 - 1 所示)。

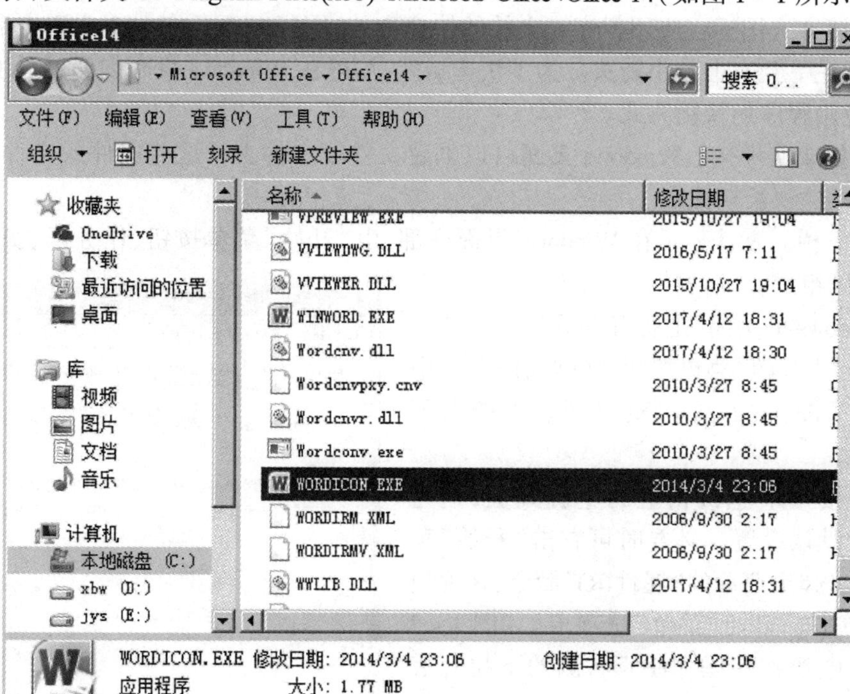

图 1 - 1　“计算机”窗口

(3)在文件列表中找到文件“WINWORD. EXE”并右击鼠标。

(4)在弹出的快捷菜单中单击“发送到”→“桌面快捷方式”命令,这时 Windows 桌面上会创建一个名为“WINWORD. EXE”的快捷方式图标。

(5)在 Windows 桌面上右击“WINWORD. EXE”图标。

(6)单击弹出菜单“重命名”命令。

(7)输入“Word 2010”。

(8)单击桌面空白区域。

2. 修改桌面图标的排列方式主要步骤如下：

(1)在桌面空白区域右击鼠标。

(2)单击弹出菜单的“排列方式”命令的“名称”项(如图 1 - 2 所示)。

图 1 - 2　桌面图标的排列方式

【特别提示】

1. Windows 7 是 Microsoft(微软)开发的微机操作系统。操作系统用于管理计算机系统的软硬件资源，是计算机必需的系统软件，是人机交互的桥梁。

2. Windows 的启动。按下主机箱上的电源开关，即可启动 Windows。如果系统只有一个账户且没有设置用户密码，则直接显示 Windows 桌面。否则，显示 Windows 欢迎界面，要求选择账户并输入密码，只有账户和密码正确，才能显示 Windows 桌面。

3. Windows 启动后，在屏幕上显示的就是 Windows 桌面。Windows 桌面一般包括以下几个部分：

(1)系统图标。包括“网络”、“计算机”、“回收站”等图标。

(2)快捷方式图标。应用程序或文件的快捷方式，图标左下角有一个小正方形，正方形内有一个从左下到右上的小箭头。为了快速访问，均可在 Windows 桌面创建磁盘上的文件、文件夹或应用程序的快捷方式。

(3)文件或文件夹。Windows 桌面可以创建文件或文件夹。这些文件或文件夹应该只是临时的，不建议长期保存。

(4)任务栏。默认显示在 Windows 桌面底部，由“开始”菜单按钮、任务区、快速启动按钮区、通知区组成。

4. Windows 的关闭，主要有以下两种方法：

(1)单击“开始”菜单按钮，在弹出的菜单中单击“关机”按钮(在弹出菜单列表项的右下角)。

(2)直接按下主机箱上的电源开关，这是 Windows 的默认设置。必要时可右击“开始”菜单按钮，单击弹出菜单的“属性(R)”命令，在弹出的窗口中单击“「开始」菜单”选项卡(如图 1 - 3 所示)，在“电源按钮操作(B)”右侧的下拉列表中可选择以下选项：

①关机。退出 Windows 后关闭电源。

②切换用户。以另一个账户登录 Windows，当前登录账户的操作状态仍然保存在系统内

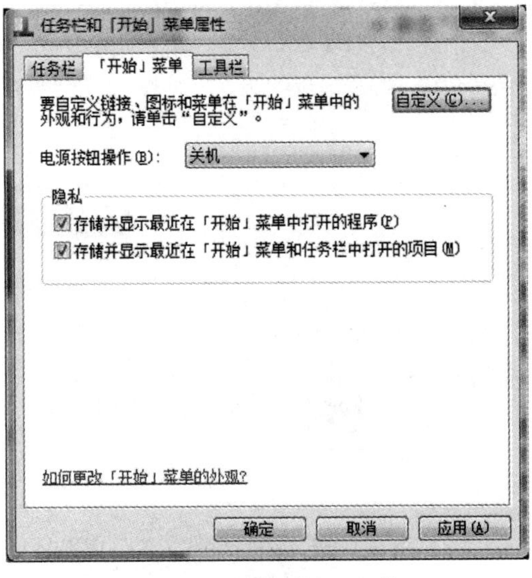

图 1 - 3　设置电源按钮操作

存中。

③注销。以另一个账户登录 Windows,退出当前账户。

④锁定。显示用户登录界面,需要密码才能解除锁定。

⑤重新启动。退出 Windows 后再自动启动计算机。

⑥睡眠。在系统内存中保存当前账户的操作状态后关闭屏幕显示,内存、键盘仍然供电。按下键盘上的任意键可以快速恢复操作(如果当前账户设置了登录密码,则需要先输入密码)。

5. Windows 的资源管理器用于文件管理。可以完成文件和文件夹的创建、删除、重命名、剪切、复制、粘贴、属性设置等操作。

6. Word 2010 应用程序的默认安装目录是 C:\Program Files(x86)\Microsoft Office\Office14。如果安装时修改了安装目录,则无法按照上面的步骤创建快捷方式。更简洁的方法如下:

(1)在 Windows 的“开始”菜单中,单击“所有程序”。

(2)单击“Microsoft Office”。

(3)右击“Microsoft Word 2010”。

(4)单击弹出菜单中的“发送到”→“桌面快捷方式”命令。

7. 有时为了应用的方便,也可将打开应用程序的快捷方式“附到「开始」菜单”的列表项中。操作方法如下:

(1)在 Windows 的“开始”菜单中,单击“所有程序”。

(2)在“所有程序”列表项中找到应用程序的快捷方式并右击。

(3)单击弹出菜单中的“附到「开始」菜单(U)”命令。

8. 可以不显示桌面图标。右击桌面空白区域,单击“查看”→“显示桌面图标”命令,如图 1 - 4 所示,再次单击该命令即可恢复桌面图标的显示。

任务 2:定制任务栏外观

【任务描述】

1. 操作其他应用程序时,任务栏能够自动隐藏。

2. 任务栏上使用小图标。

3. 任务栏显示在桌面右侧。

【操作步骤】

1. 右击“开始”菜单,单击弹出菜单的“属性”命令。

2. 在弹出的对话框中选择如图 1 - 5 所示的“任务栏”选项卡。

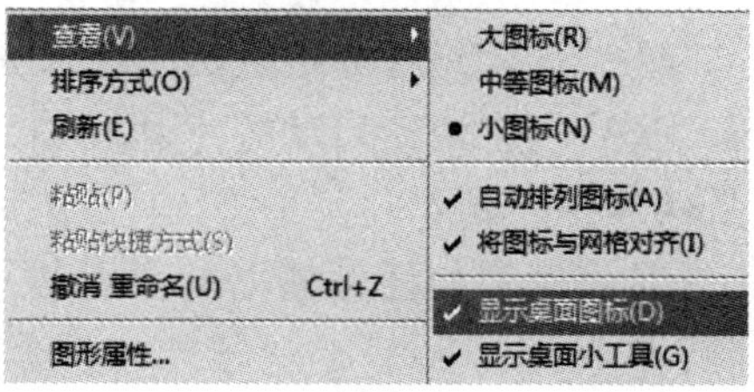

图 1 - 4　桌面图标的显示与隐藏

3. 选择“自动隐藏任务栏”选项。

4. 选择“使用小图标”选项。

5. 在“屏幕上的任务栏位置:”的右侧列表中选择“右侧”。

6. 单击“确定”按钮。

【特别提示】

1. 默认情况下,“任务栏”位于桌面底部,主要包括以下几部分:

(1)“开始”菜单按钮,用于文件或应用程序的快速打开。

(2)“快速启动”按钮区,用于放置文件或应用程序的快捷图标。

(3)程序按钮区,用于显示活动程序(正在运行的程序)的图标。

(4)通知区域,用于显示时间、网络连接、音量等信息。

2. 根据需要,也可以在任务栏上显示其他工具栏。右击任务栏空白处,再单击如图1-6所示的“工具栏”菜单的列表项。

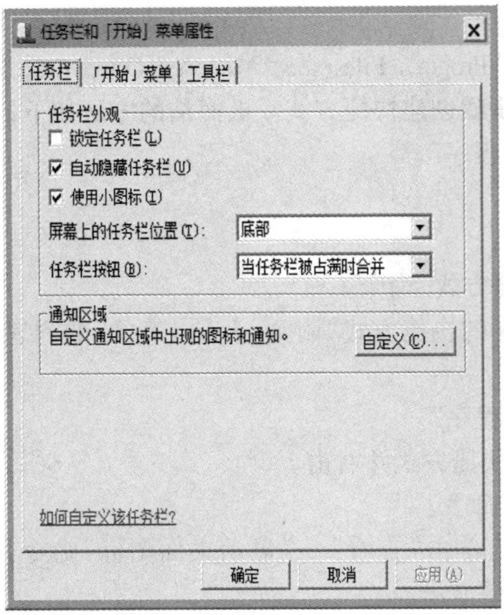

图1-5 设置任务栏外观

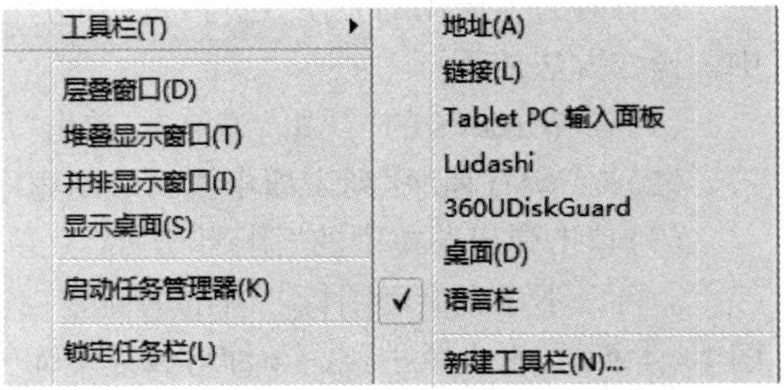

图1-6 选择工具栏

3. 在图1-6中,也可单击“工具栏”列表项中的“新建工具栏”命令,将选定的文件夹作为工具栏添加到任务栏上。

4. 在未锁定任务栏(如图1-5中“锁定任务栏”选项没有选择)时,也可通过按下鼠标左键直接拖动任务栏来确定任务栏的位置(任务栏只能显示在桌面底部、顶部、左侧或右侧)。

5. 桌面图标不宜过多。必要时,可考虑将桌面图标直接拖放到任务栏上。

(1)右击桌面图标,再单击“锁定到任务栏”命令也可达到快速启动的效果。

(2)锁定到任务栏上的图标称为快速启动按钮,单击该按钮即可启动相应的应用程序。

(3)右击快速启动按钮,再单击弹出菜单的“将此程序从任务栏上解锁”命令,即可将其从任务栏上删除。

(4)锁定到任务栏上的桌面图标,一般不需要在桌面上显示(选择后按【Del】键可删除)。

6. 当启动的应用程序较多时,可直接在任务栏上单击相应程序图标,使之成为当前操作窗口;也可按【Alt+Tab】组合键或【Alt+Esc】组合键选择。

7.【Win+D】组合键可在显示桌面与恢复打开的窗口间切换。或者右击任务栏空白区域后,单击弹出菜单的“显示桌面”命令或“显示打开的窗口”命令。

8. 在Windows中,绝大部分操作离不开窗口(有些窗口需要用户进行相应的输入或设置,称为对话框)。窗口一般包括以下几个部分:

(1)标题栏。位于窗口顶部,包括控制图标、标题、最大化按钮、最小化按钮和关闭按钮。

(2)菜单栏。位于窗口标题栏下方,主要分类列出各种操作命令。各分类菜单由菜单项组成,单击相应菜单项,可以执行相应的操作。大部分窗口还提供了快捷菜单(右击相关对象,即可显示快捷菜单)。

(3)工具栏。常用菜单命令的整合。

(4)选项卡。用于功能分类。选择不同的选项卡,窗口会显示不同的操作界面。

(5)状态栏。位于窗口底部,一般显示操作的状态信息。

任务 3:自定义“开始”菜单

【任务描述】

设置“开始”菜单的以下显示效果:

1. 控制面板显示为链接。
2. 在“所有程序”菜单上显示“系统管理工具”。
3. 不显示“网络”项。

【操作步骤】

1. 右击“开始”菜单,单击弹出菜单的“属性”命令。
2. 在弹出的对话框中选择“「开始」菜单”选项卡,如图 1-7 所示。
3. 单击“自定义(C)...”按钮,在弹出如图 1-8 所示的对话框中根据任务要求进行设置即可。

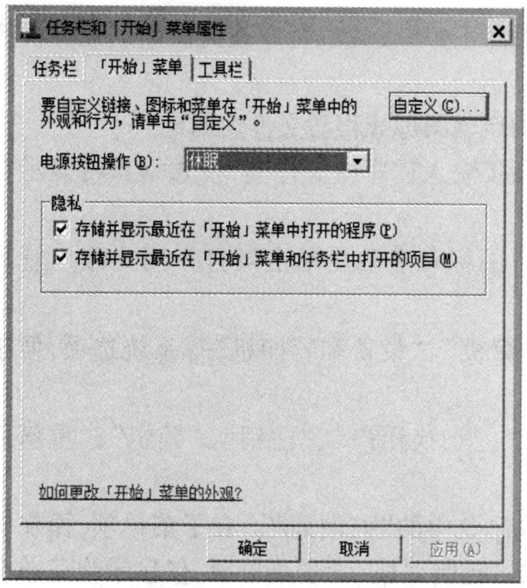

图 1-7　“任务栏和「开始」菜单属性”对话框

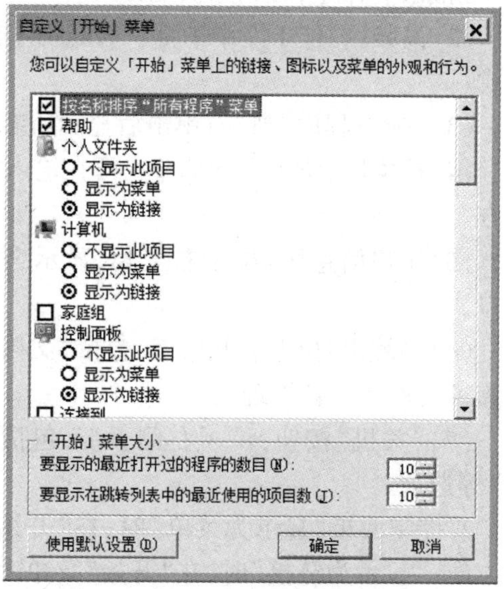

图 1-8　“自定义「开始」菜单”对话框

【特别提示】

1. Windows 的“开始”菜单按钮用于常用程序或文件的快速打开,如图 1-9 所示,它包括以下几个组成部分:

(1)快捷区:位于左上部分,由程序的快捷方式图标组成。对于常用的应用程序,除了可

图 1-9 「开始」菜单

以在桌面或任务栏上创建其快捷方式外,也可在“开始”菜单中创建其快捷方式。创建方法:在资源管理器中,右击需添加到开始菜单快捷区的应用程序文件,再单击弹出菜单的“附到「开始」菜单(U)”命令即可。在开始菜单快捷区右击快捷方式图标,再单击弹出菜单的“从列表中删除(F)”命令,可删除快捷方式。

(2)高频区:位于左半中部。Windows 自动将使用频率较高的程序在此区域创建其快捷方式。

(3)“所有程序”按钮:单击后显示所有程序的启动图标或程序文件夹图标。

(4)搜索区:位于左下部分。可在输入框内直接输入程序或文件名,搜索结果将显示在上方。

(5)用户信息区:位于右上角,显示当前用户图标和名称。单击可打开用户账户管理窗口。

(6)系统组:位于右侧中部,包括“文档”、“计算机”、“设备和打印机”等系统选项,便于计算机文件和设备管理。

(7)“关机”按钮:位于右侧下部,包括“关机”、“切换用户”、“注销”、“锁定”、“重新启动”等选项。

2. 控制面板“显示为菜单”时,在“开始”菜单命令中的“控制面板”有子菜单项,操作较为方便;“显示为链接”时,在“开始”菜单命令中的“控制面板”无子菜单项,仅显示为菜单命令,单击该命令会弹出如图 1-10 所示的“控制面板”窗口。在该对话框的右上角有个“查看方式”,可将“查看方式”设置为“类别”、“小图标”或“大图标”。

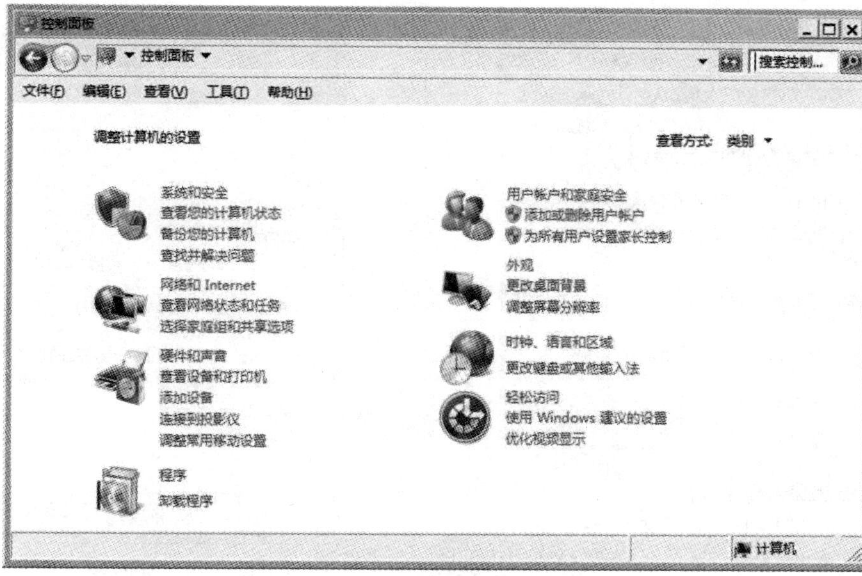

图 1 - 10 “控制面板”窗口

任务 4:文件管理

【任务描述】

1. 在 D 盘根目录创建一个名为“MyDoc”的文件夹,并将其设置为隐藏。

2. 在 D 盘根目录创建一个名为“MyInfs. xbw”的文件,并设置其默认打开程序为“记事本”。

3. 浏览文件夹时,显示文件的扩展名。

【操作步骤】

1. 创建“MyDoc”文件夹的主要步骤如下:

(1)按【Win + E】组合键打开 Windows 的资源管理器。

(2)双击 D 盘图标,打开 D 盘根目录。

(3)在窗口右侧空白区右击鼠标,单击弹出菜单中的“新建”→“文件夹”命令,如图 1 - 11 所示。

(4)输入文件夹名称“MyDoc”,再单击窗口其他区域。

2. MyDoc 文件夹设置为隐藏的主要步骤如下:

(1)右击“MyDoc”文件夹,再单击弹出菜单的“属性”命令,打开如图 1 - 12 所示窗口。

(2)选择“隐藏”项。

(3)单击“确定”按钮。

3. 创建 MyInfs. xbw 文件的主要步骤如下:

(1)按【Win + E】组合键打开 Windows 的资源管理器。

(2)双击 D 盘图标。

(3)在窗口右侧空白区右击鼠标,单击弹出菜单中的“新建”→“文本文档”命令。

图 1-11 新建文件夹菜单命令

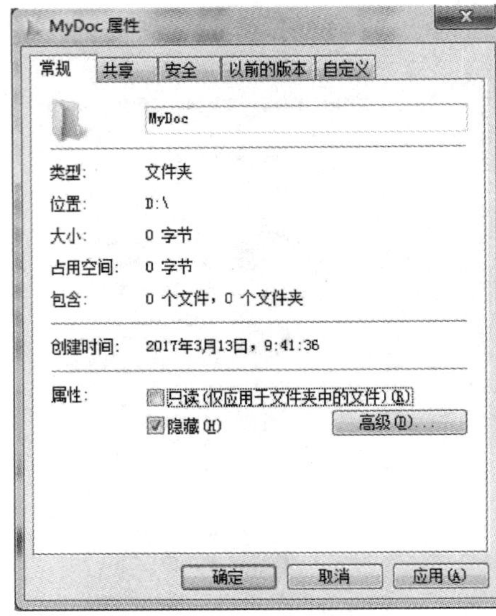

图 1-12 “MyDoc 属性”窗口

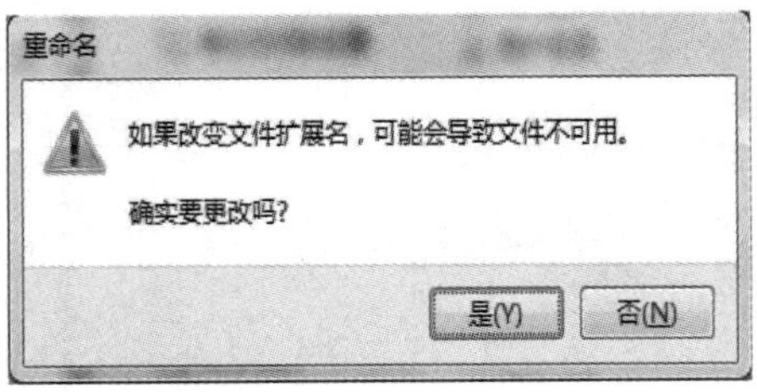

图 1-13 “重命名”对话框

(4)输入文件名为“MyInfs. xbw”。

(5)单击输入的文件名，弹出窗口如图 1-13 所示，单击“是”按钮。

4. 设置 MyInfs. xbw 文件默认打开程序。

(1)右击 MyInfs. xbw 文件图标。

(2)单击弹出菜单的“打开”命令。

(3)在弹出的如图 1-14 所示的“Windows”对话框中选择“从已安装程序列表中选择程序(s)”项。

(4)在如图 1-15 所示的“打开方式”对话框中选择“记事本”图标。

(5)单击“确定”按钮。

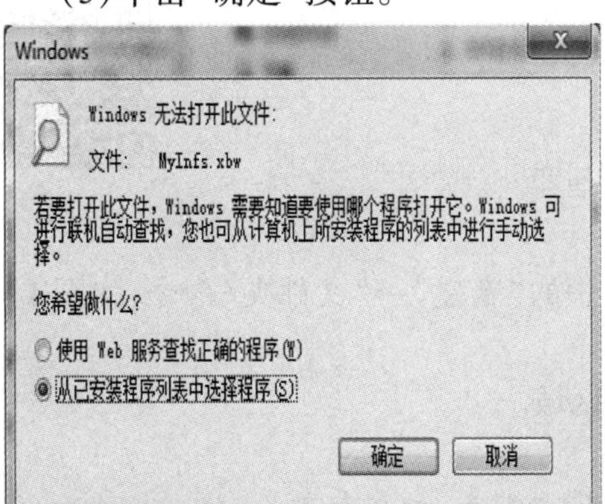

图 1-14 “Windows”对话框

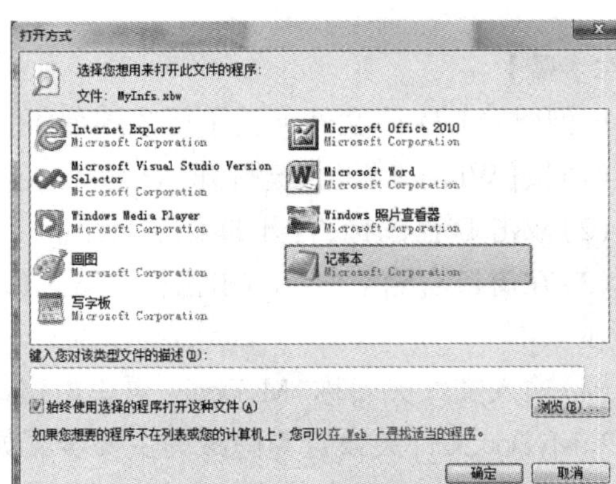

图 1-15 “打开方式”对话框

【特别提示】

1. 注意“硬盘”与“C 盘”的区别。硬盘是存储计算机数据的主要设备，为了管理数据的方便，在安装操作系统时，一般需对硬盘进行分区，将硬盘划分为几个相对独立的区域。这些区域称为逻辑盘。在“计算机”管理窗口中看到的“C:”“D:”“E:”等盘符标识，就是指这些逻辑盘。

2. 文件是指保存在计算机中的各种数据,其名称由“主文件名 + 文件扩展名”组成。文件名一般体现文件的内容,而扩展名用来标识文件的类型。常见的文件扩展名有以下几种:

(1).txt,指文本文件,可使用 Windows 的记事本进行编辑。

(2).EXE,指应用程序文件,双击可直接运行。

(3).bmp、.jpg、.gif、.ico、.png,常用图像文件。

(4).docx、.xlsx、.pptx,Microsoft Office 2010 常用文件。

(5).mpg、.avi、.mov,常用视频文件。

(6).mid、.mp3、.wmv、.ra、.wav,常用音频文件。

3. 文件夹用于存储文件,也可以在文件夹中创建子文件夹,方便文件的分类管理。

4. 文件和文件夹命名规则主要有以下几种:

(1)不得超过 255 个字符(一个汉字为两个字符)。

(2)不得使用 < > \ / | : " * ? 字符。

(3)不区分大小写。

(4)在同目录中不得重名。

(5)不能以空格开头。

5. 根目录是指磁盘的顶层目录。例如,“D:\”表示 D 盘根目录。

6. 在“资源管理器”中选择文件或文件夹的方式主要有以下几种:

(1)选择单个文件或文件夹

方法 1:鼠标移到文件或文件夹图标上再单击鼠标。

方法 2:直接输入文件或文件夹名称(支持逐字匹配)。例如,打开 D 盘根目录后,直接在键盘上输入字符“大”,则第一个以“大”字符开头的文件(或文件夹)会自动选择,再次输入字符“大”,第二个以“大”字符开头的文件(或文件夹)会自动选择。

方法 3:随意选择一个文件或文件夹,再使用键盘上的光标键(↑、↓、→、←)进行选择。

(2)选择位置相邻的多个文件或文件夹

方法 1:按下鼠标左键并拖动鼠标,在选择框内的文件和文件夹均会自动选择。

方法 2:单击第一个文件(或文件夹)后,按下【Shift】键,再单击最后一个文件(或文件夹),可以选择第一个到最后一个的所有文件(或文件夹)。

方法 3:选择第一个文件(或文件夹)后,按下【Shift】键,再使用键盘上的光标键(↑、↓、→、←)进行选择。

(3)选择位置不相邻的多个文件或文件夹:选择第一个文件(或文件夹)后,按下【Ctrl】键,再依次单击需要选择的其他文件或文件夹。

(4)选择全部文件和文件夹

方法 1:按【Ctrl + A】组合键。

方法 2:单击“编辑”菜单的“全选”命令。

(5)文件或文件夹隐藏后要恢复显示,可按以下步骤进行:

①按【Win + E】组合键打开资源管理器。

②单击“组织”→“文件夹和搜索选项”命令,如图 1 - 16 所示,打开“文件夹选项”窗口。

③在打开的如图 1 - 17 所示的“文件夹选项”窗口中单击“查看”选项卡,再在“高级设置”列表中选择“显示隐藏的文件、文件夹和驱动器”选项。

④单击“确定”按钮。

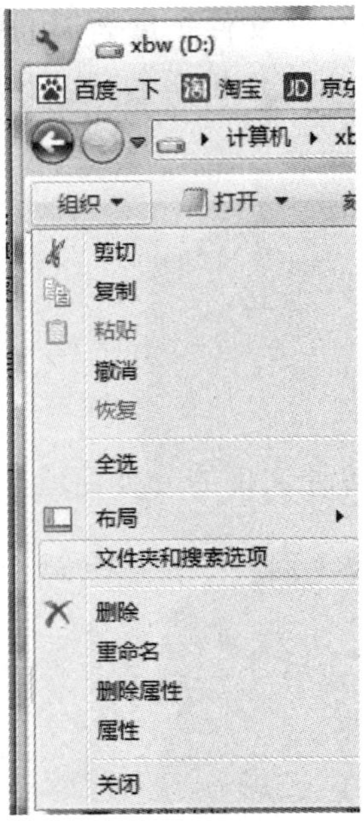

图 1-16 菜单命令

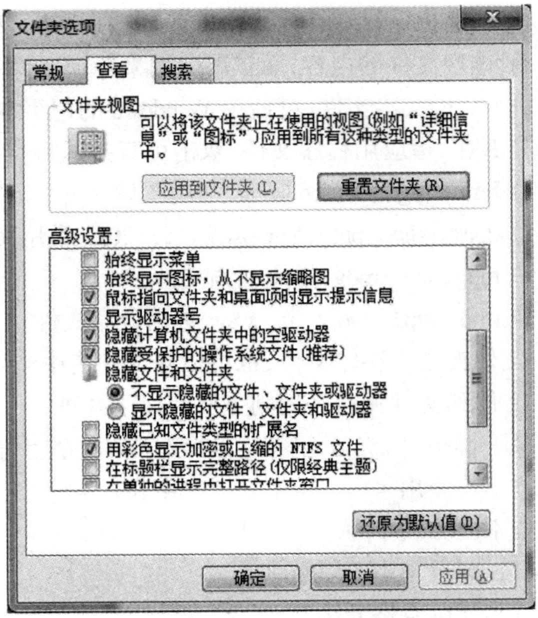

图 1-17 "文件夹选项"窗口

(6)在创建文本文档时，如果资源管理器隐藏了文件的扩展名，则输入文件名为 MyInfs. xbw 时，文件的名称实际是 MyInfs. xbw. txt。在图 1-17 中的"高级设置"列表中可查看资源管理器是否隐藏了文件的扩展名。建议不选择"隐藏已知文件类型的扩展名"选项。即使选择了"隐藏已知文件类型的扩展名"，也只是隐藏了 Windows 已知文件类型的扩展名，未知文件的扩展名是不会隐藏的。

(7)移动或复制文件(文件夹)有以下几种方法：

方法 1：使用组合快捷键(【Ctrl + X】、【Ctrl + C】、【Ctrl + V】)。

方法 2：使用"编辑"菜单中的剪切、复制和粘贴命令。

方法 3：使用弹出菜单的剪切、复制和粘贴命令。

方法 4：使用拖动的方法，将文件(文件夹)在所在文件夹内拖动，并进行以下操作：

①按下【Ctrl】键后，将文件(文件夹)在所在文件夹内拖动，为复制操作。

②按下【Ctrl】键后，将文件(文件夹)从一个文件夹拖放到另一个文件夹，为复制操作。

③将文件(文件夹)从一个文件夹拖放到另一个文件夹。如果前后两个文件夹在同一个逻辑盘上，为移动操作。如果前后两个文件夹不在同一个逻辑盘上，为复制操作。

任务 5：设置屏幕保护程序

【任务描述】

1. 设置屏幕保护程序为"变幻线"。
2. 等待时间设置为 6 分钟。
3. 在恢复时显示登录屏幕。

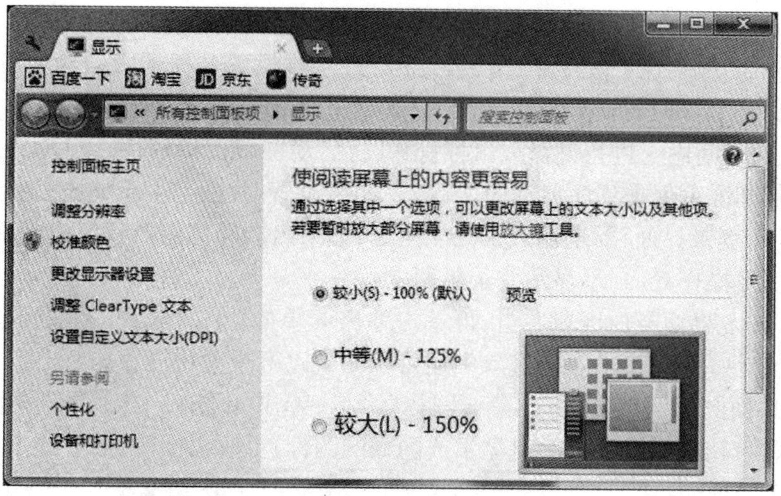

图 1 - 18　“显示”属性窗口

【操作步骤】

1. 单击“开始”菜单→“控制面板”→“显示”命令，打开如图 1 - 18 所示窗口。
2. 在图 1 - 18 窗口中单击“个性化”选项。
3. 在打开的如图 1 - 19 所示的“个性化”窗口中单击“屏幕保护程序”图标。

图 1 - 19　“个性化”窗口

4. 在打开的如图 1 - 20 所示的“屏幕保护程序设置”对话框中完成以下操作：

(1) 在“屏幕保护程序(S)”下方列表中选择“变幻线”。

(2) 在“等待(M)”右侧的输入框中输入“6”。

(3) 选择“在恢复时显示登录屏幕(R)”选项。

(4) 单击“确定”按钮，并关闭之前打开的所有窗口。

【特别提示】

1. 系统给出的屏幕保护程序中,有些程序可进一步设置各项参数。例如,选择“三维文字”作为屏幕保护程序时,可单击“设置(T)...”按钮进行相应的参数设置。

2. 在设置的时间内未进行键盘或鼠标操作,将启动屏幕保护程序。启动后,再操作键盘或鼠标,将恢复到屏幕保护程序启动前的状态;如果设置时已经选择“在恢复时显示登录屏幕”选项,则显示登录界面,要求输入密码。但是,如果启动屏幕保护程序后立即操作键盘或鼠标,则直接恢复操作界面,不显示登录界面。

3. 在 Windows 桌面空白区域右击,再单击弹出菜单的“个性化(R)”命令,也可打开如图 1 - 19所示的“个性化”窗口。在该窗口中还可以完成以下个性化设置:

(1)更改桌面图标。单击“更改桌面图标”命令,弹出如图 1 - 21 所示“桌面图标设置”窗口。通过该窗口,可以设置桌面上显示或隐藏的图标、更改桌面图标等。

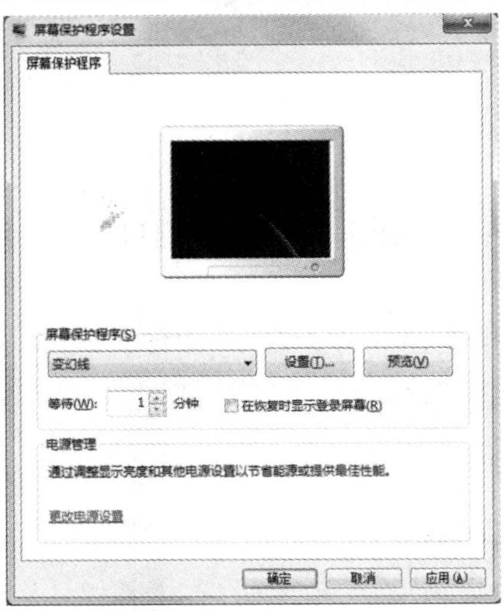

图 1 - 20 “屏幕保护程序设置”对话框

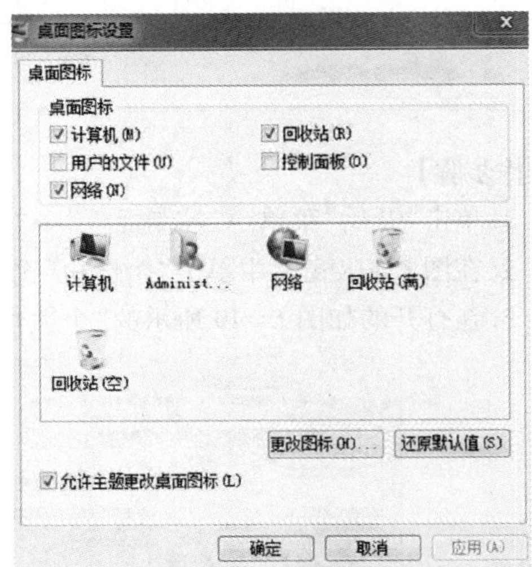

图 1 - 21 “桌面图标设置”窗口

(2)更改鼠标指针。单击“更改鼠标指针”命令,弹出“鼠标属性”窗口。通过该窗口,可以设置鼠标键的双击速度、更改鼠标指针的图标、指针移动速度等。

(3)更改账户图片。单击“更改账户图片”命令,在打开的窗口中可以选择合适的图片显示在欢迎屏幕和「开始」菜单上。

(4)显示属性。单击“显示”命令打开“显示”属性窗口。在该窗口中,可以更改屏幕上的文本大小、调整分辨率、更改显示器设置等。

(5)设置桌面背景。可以选择一张或多张图片。选择图片后,还可进一步设置图片的显示位置、切换的时间间隔(选择多张图片时)等。

(6)设置任务栏和「开始」菜单。右击“开始”菜单后单击“属性”命令,可以定制任务栏和开始菜单的外观。

(7)启用 Aero 主题。不同的 Aero 主题定制了不同的 Windows 桌面背景、窗口颜色和 Windows 默认声音。

(8)设置窗口颜色。可更改打开窗口的边框样式、「开始」菜单和任务栏的颜色。

(9)设置或启用屏幕保护程序。

任务 6:用户管理

【任务描述】

1. 创建一个名为“CAdmin”的系统管理员账户,密码自拟。
2. 创建一个名为“SuperBoy”的标准账户,密码自拟。

【操作步骤】

1. 单击“开始”菜单→“控制面板”→“用户账户”命令,打开如图 1 - 22 所示的“用户账户”窗口。

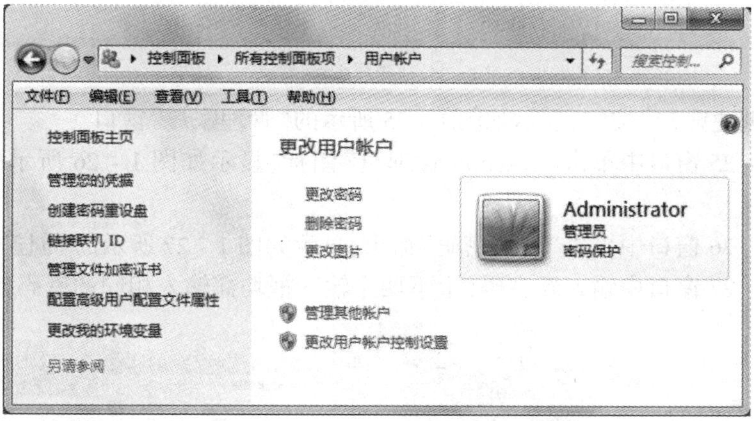

图 1 - 22　“用户账户”窗口

2. 单击“管理其他账户”项,打开如图 1 - 23 所示的“管理账户”窗口。

图 1 - 23　“管理账户”窗口 1

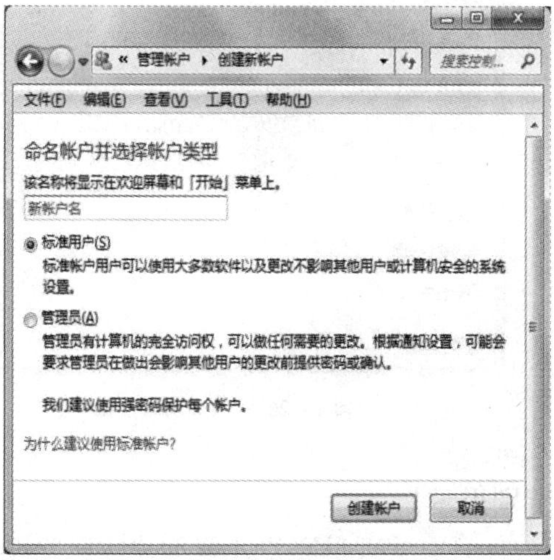

图 1 - 24　“创建新账户”窗口

3. 单击“创建一个新账户”命令,打开如图 1 - 24 所示的“创建新账户”窗口。
4. 在输入框中输入新账户名称:CAdmin。
5. 选择“管理员”账户类型。

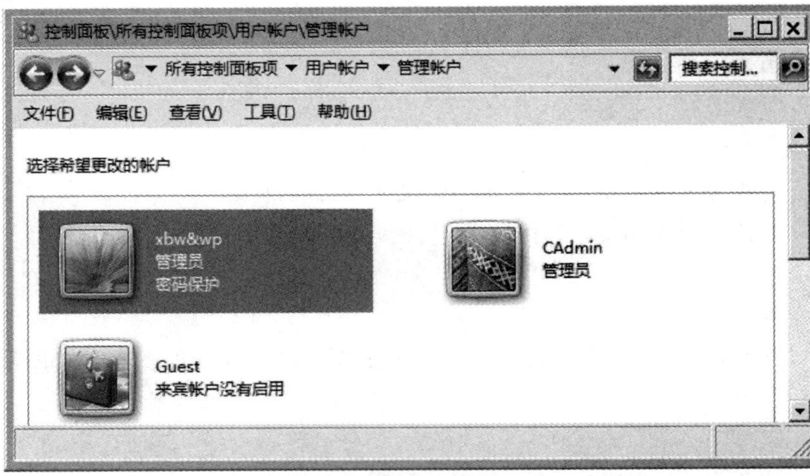

图 1 - 25 “管理账户”窗口 2

6. 单击“创建账户”按钮,显示如图 1 - 25 所示的“管理账户”窗口。

7. 在图 1 - 25 窗口中单击“CAdmin 管理员”图标,显示如图 1 - 26 所示的“更改账户”窗口。

8. 在图 1 - 26 窗口中单击“创建密码”命令,显示如图 1 - 27 所示的“创建密码”窗口。

9. 在图 1 - 27 窗口中输入新密码(上下两个输入框均需输入相同的密码)后单击“确定”按钮。

图 1 - 26 “更改账户”窗口

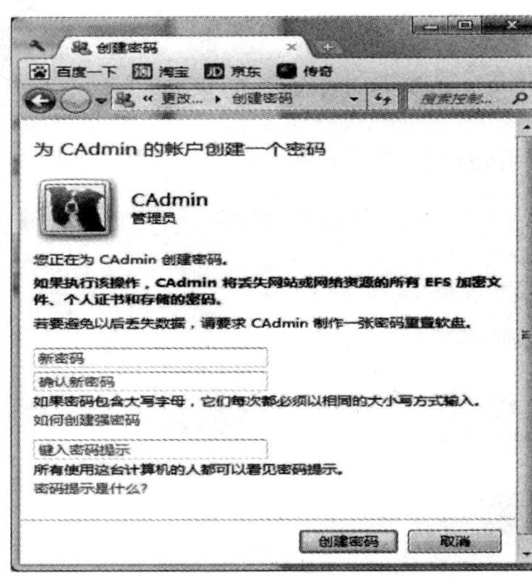

图 1 - 27 “创建密码”窗口

【特别提示】

1. 只有管理员账户才能创建或删除账户。

2. 管理员有计算机的完全访问权,可以做任何需要的修改。标准用户只能更改不影响其他用户或计算机安全的系统设置。

3. 创建多个账户后,系统启动时会显示登录屏幕,可以选择用户登录。

任务7:文件共享

【任务描述】

在D盘根目录创建一个名为“MyFiles”的文件夹,并设置其共享,为同一局域网内的每一个用户提供读取权限。

【操作步骤】

1. 按【Win+E】组合键打开Windows资源管理器。
2. 双击D盘图标打开D盘根目录。
3. 右击根目录文件列表区,再单击弹出菜单的“新建”→“文件夹”命令。
4. 输入文件夹名称:MyFiles。
5. 右击文件夹“MyFiles”,再单击弹出菜单的“属性”命令。
6. 在弹出的如图1-28所示的“MyFiles属性”窗口中单击“共享”选项卡。
7. 单击“共享(S)...”按钮。

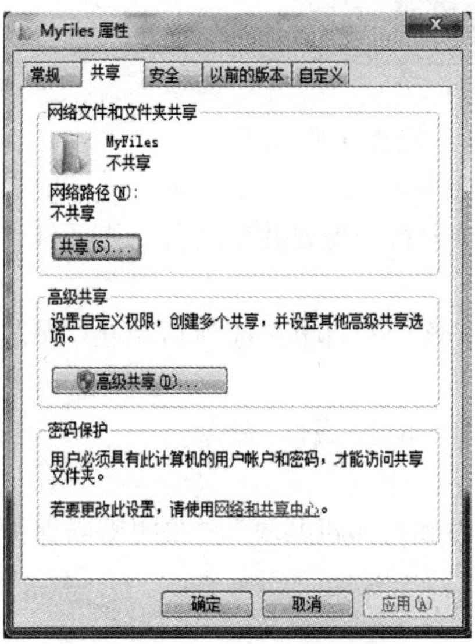

图1-28　“MyFiles属性”窗口

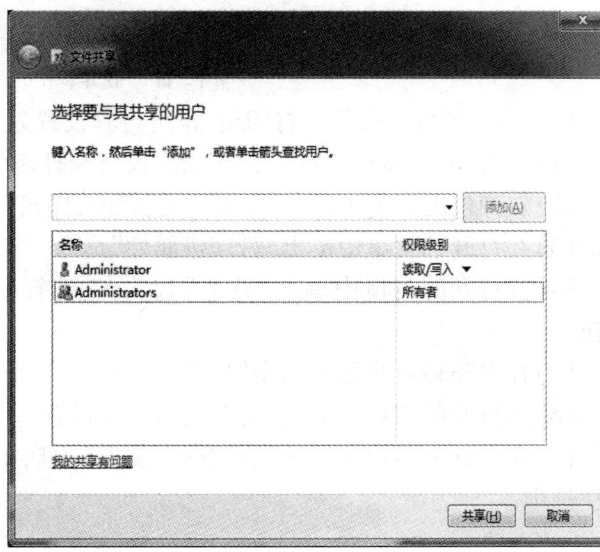

图1-29　“文件共享”窗口

8. 在弹出如图1-29所示的“文件共享”窗口中进行如下操作:

(1)单击“添加(A)”按钮左侧的下拉按钮。

(2)在弹出的列表项中单击“Everyone”。

(3)单击“添加”按钮。

(4)在“添加”按钮下方列表中将“Everyone”的“权限级别”修改为“读取”。

(5)单击“共享(H)”按钮。

(6)稍等系统配置完成后单击“完成”按钮。

9. 窗口恢复到如图1-28所示的“MyFiles属性”窗口,单击“高级共享”。

10. 在弹出的“高级共享设置”窗口中选择以下选项:

(1)启用网络发现。

(2)启用文件和打印机共享。

(3)关闭密码保护共享。

【特别提示】

1. 局域网内的计算机设置了共享文件夹后(共享用户为 Everyone),该局域网内的所有计算机均可读取该文件夹内的文件。如果权限级别为"读/写",则局域网内的所有计算机均可对该文件夹进行读写操作(如删除文件、添加文件、修改文件内容)。

图 1-30 "设备和打印机"窗口

2. 一台计算机上安装了打印机,也可将其设置为共享。操作步骤如下:

(1)单击 Windows"开始"菜单中的"设备和打印机"命令。

(2)在弹出的如图 1-30 所示的"设备和打印机"窗口中右击需要共享的打印机图标。

(3)在打开的菜单中单击"打印机属性"命令。

(4)在打开的窗口中单击"共享"选项卡,选择"共享这台打印机"选项后单击"确定"按钮。

(5)在 Windows 桌面上右击"网络"图标,再单击弹出菜单的"属性"命令。

(6)在打开的窗口中单击"更改高级共享设置"。

(7)在打开的窗口中选择"启用网络发现"、"启用文件和打印机共享"、"关闭密码保护"共享选项。

第二节 拓展性实验

任务 1:文件删除后的恢复

【任务描述】

1. 打开 Windows 回收站,恢复最近删除的文件。

2. 恢复被删除并已从回收站清空的文件。

【特别提示】

1. 默认情况下,删除的文件和文件夹会移到 Windows 的回收站。如果删除时不必移到回收站,有以下两种方法:

（1）按【Shift + Del】组合键删除文件或文件夹。

（2）在桌面上右击“回收站”图标，单击弹出菜单的“属性”命令，在弹出的如图 1 - 31 所示的“回收站属性”窗口中选择“不将文件移到回收站中。移除文件后立即将其删除(R)”。那么以后按【Del】键直接删除而不移到回收站。

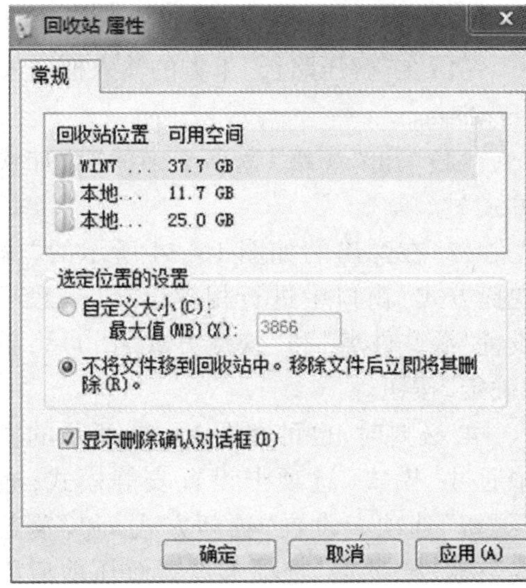

图 1 - 31　“回收站属性”窗口

2. 删除 U 盘中的文件或文件夹时，不会移到回收站。

3. 删除后的文件移到回收站是可以恢复的。双击桌面上的“回收站”图标，再右击需要恢复的文件，在弹出菜单中单击“还原”命令即可恢复。

4. 如果删除后的文件没有移到回收站，Windows 没有提供恢复工具，则需要利用第三方软件，如 360 数据恢复、数据恢复精灵、EasyRecovery 等。利用这些软件，可以恢复删除后的文件，甚至从格式化后的磁盘中恢复文件。如果文件删除后在原磁盘重新写入数据，则新数据可能覆盖原文件，造成数据恢复失败。

任务 2：文件和文件夹的压缩与解压缩

【任务描述】

创建文件夹D:\Datas和文件D:\Datas\a. txt、D:\Datas\b. txt、D:\a. txt、D:\b. txt。并将这些文件和文件夹压缩为自解压文件 myDatas. EXE。

要求：

1. 解压时输入密码。
2. 解压成功时在桌面创建文件 D:\a. txt 的快捷方式（名称为“mya”）。
3. 解压位置为 C:\newData。
4. 解压时不显示任何窗口和提示。

【特别提示】

WinRAR 压缩软件能够很好地满足任务要求，可从网上下载免费软件并安装到计算机上，操作要点如下：

1. 打开资源管理器，选择需要压缩的文件和文件夹。

2. 右击选择项，再单击弹出菜单的“添加到压缩文件(A)...”命令，在弹出如图 1 - 32 所示的“压缩文件名和参数”窗口中进行以下操作：

（1）选择“创建自解压格式压缩文件(X)”选项。

（2）在“压缩文件名(A)”下方的输入框中输入：myDatas. EXE。

（3）单击“设置密码(P)...”按钮，在弹出的窗口中输入密码后单击“确定”按钮。

3. 单击“高级”选项卡中的“自解压选项(X)...”按钮，在弹出如图 1 - 33 所示的“高级自解压选项”窗口中进行以下操作：

(1)在“解压路径”下方的输入框输入 C:\newData。

(2)单击“高级”选项卡中的“添加快捷方式”。

(3)在弹出的如图 1 - 34 所示的“添加快捷方式”窗口中进行相应设置(一般只需设置“源文件名”和“快捷方式名”)后,单击“确定”按钮。

4. 必要时,也可在图 1 - 33 所示的窗口中通过“模式”选项卡设置安静模式;通过“更新”选项卡设置“更新方式”和“覆盖方式”;通过“设置”选项卡设置解压前后需要运行的程序。

图 1 - 32 “压缩文件名和参数”窗口

图 1 - 33 “高级自解压选项”窗口

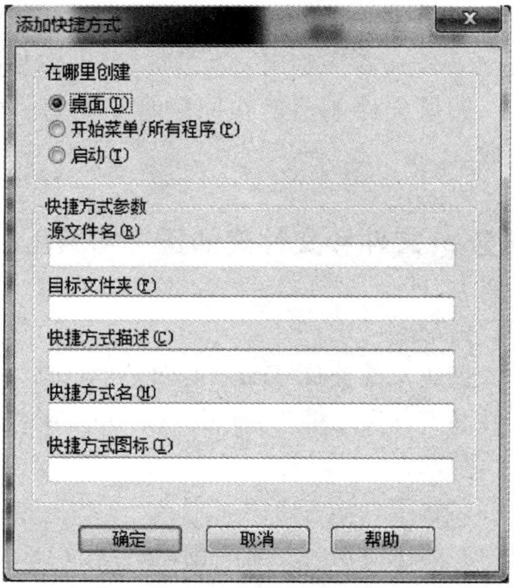

图 1 - 34 “添加快捷方式”窗口

任务 3:库操作

【任务描述】

1. 创建文件夹:D:\DOC、D:\XLS、D:\PPT。

2. 创建库:MyInfs。

3. 将上面创建的三个文件夹包含到库 MyInfs 中。

【特别提示】

1. 库可以包含不同位置的文件夹以方便文件管理。系统默认创建了视频、图片、文档、音乐四个库,如图 1 - 35 所示。

2. 在“库”管理窗口中,单击“新建库”命令可创建新库,也可对已创建的库进行重命名、删除操作。

3. 在资源管理器中,右击文件夹图标,再单击弹出菜单的“包含到库中”子菜单项,即可将选择的文件夹包含到库中。

4. 在“库”管理窗口的导航窗格(窗口左侧区域)中右击库中包含的文件夹,再单击弹出菜单的“从库中删除位置(L)”命令,即可将包含在库的文件夹解除包含。

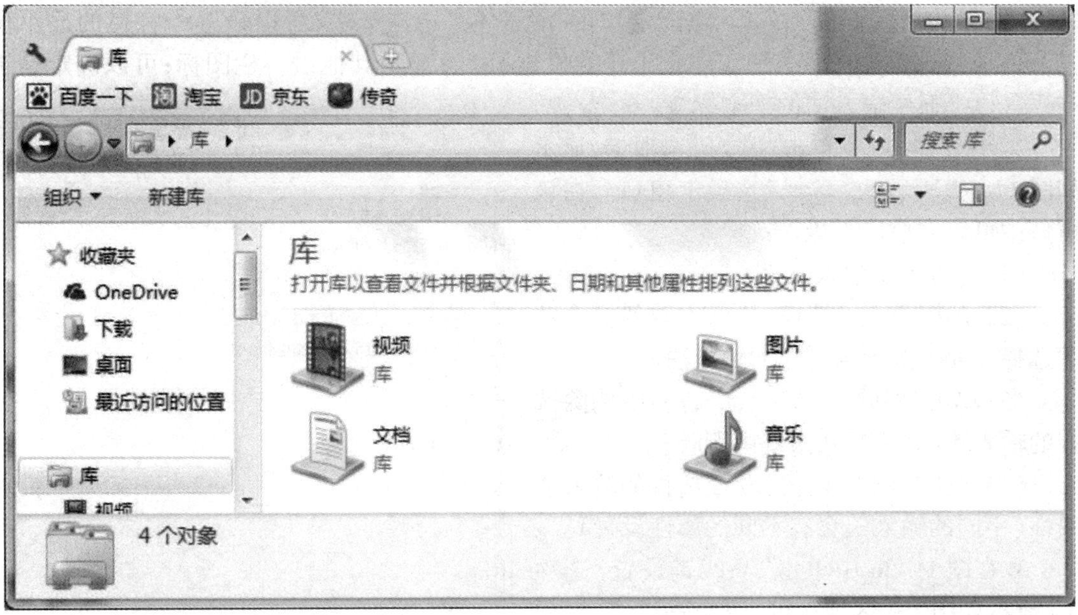

图 1-35　“库”管理窗口

任务 4:文件搜索

【任务描述】

1. 在 C:\Windows 文件夹中搜索所有 JPG 格式的图片文件。
2. 在 D 盘中搜索文件名以“2017”开头的所有 TXT 文件。

【特别提示】

1. 在 Windows 的资源管理器中,选择磁盘或文件夹后,在搜索框(位于窗口右上部)输入搜索的文件名即可完成搜索。文件名可使用通配符“*”(代表任意个任意字符)和“?”(代表任意一个字符)。

2. 在搜索框上右击,可添加搜索筛选器。如修改日期、文件大小等。

任务 5:输入法设置

【任务描述】

1. 将“语言栏”悬浮于桌面上。
2. 在任务栏上不显示其他语言栏图标。
3. “语言栏”上不显示文本标签。
4. 添加“微软拼音-简捷 2010”,并设置组合快捷键【Ctrl + Shift + 1】。

【特别提示】

1. 在 Windows 7 中,输入法统一由“语言栏”管理。

(1)“语言栏”默认停靠于任务栏右侧,图示为。

(2)在“语言栏”上右击,再单击弹出菜单的“设置(E)...”命令,可打开如图 1 - 36 所示的“文本服务和输入语言”窗口。在该窗口的“语言栏”选项卡中,可以设置语言栏的显示位置;可以确定是否在任务栏上(停靠于任务栏显示(D))显示其他语言栏图标;可以确定是否在语言栏上显示输入法的文本标签。

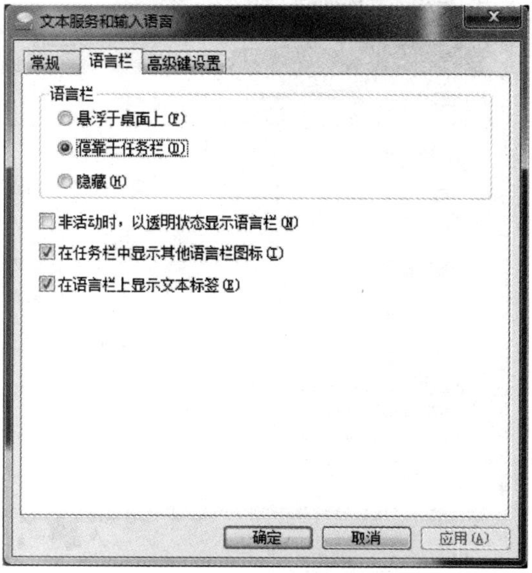

图 1 - 36 “文本服务和输入语言”窗口

2. 在图 1 - 36 中单击“常规”选项卡,显示如图 1 - 37 所示的“常规”选项卡窗口。在该窗口中可以完成以下操作:

(1)设置默认输入语言。

(2)单击“添加”按钮,从已安装的输入法中选择需要添加到语言栏的输入法。

(3)单击“删除”按钮,从语言栏中删除选择的输入法(并不是从系统中删除)。

(4)单击“属性”按钮,设置选择的输入法属性(不同的输入法会有不同的属性设置)。

3. 在图 1 - 36 中单击“高级键设置”选项卡,显示如图 1 - 38 所示的“高级键设置”选项卡。在该窗口中可以完成以下操作:

(1)设置关闭【Caps Lock】的按键。只有两种选择,即按【Caps Lock】键或按【Shift】键。建议使用默认设置,不要修改。

(2)设置输入语言的热键。在列表中选择列表项后,单击“更改按键顺序(C)...”按钮,在弹出的窗口中进行相应设置即可。

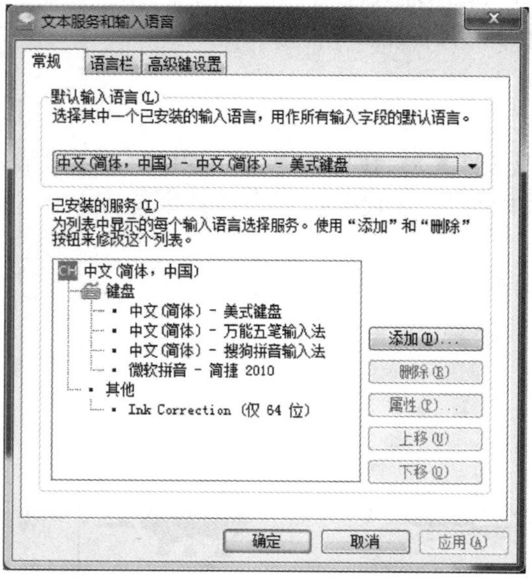

图 1 - 37 “常规”选项卡窗口

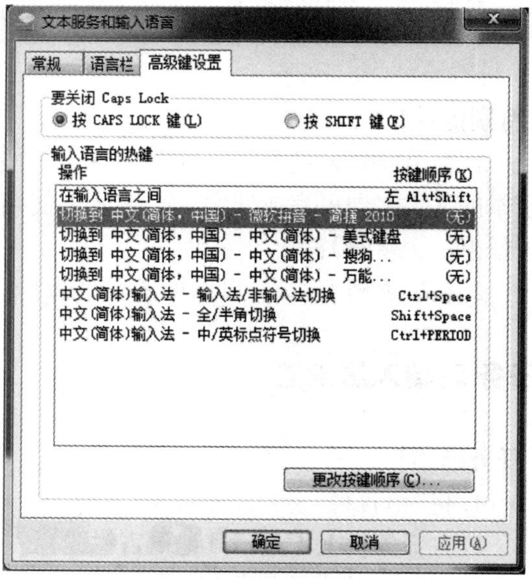

图 1 - 38 “高级键设置”选项卡窗口

任务 6:系统维护

【任务描述】

1. 检查并修复 U 盘的逻辑错误。
2. 对 D 盘进行碎片整理。
3. 启用 Windows 防火墙。

【特别提示】

1. 磁盘出现逻辑错误,容易造成计算机死机或蓝屏,系统运行速度也会变慢。因此,需对磁盘进行定期检查。可在资源管理器中,右击磁盘,再单击弹出菜单的“属性”命令,在打开的如图 1 - 39 所示的磁盘属性窗口中,单击“工具”选项卡的“开始检查(C)...”按钮进行操作。

2. 对磁盘文件进行反复的删除、创建后,易产生磁盘碎片,影响文件的读写速度。在图 1 - 39中,单击“立即进行碎片整理(D)...”按钮,可对磁盘进行碎片整理。

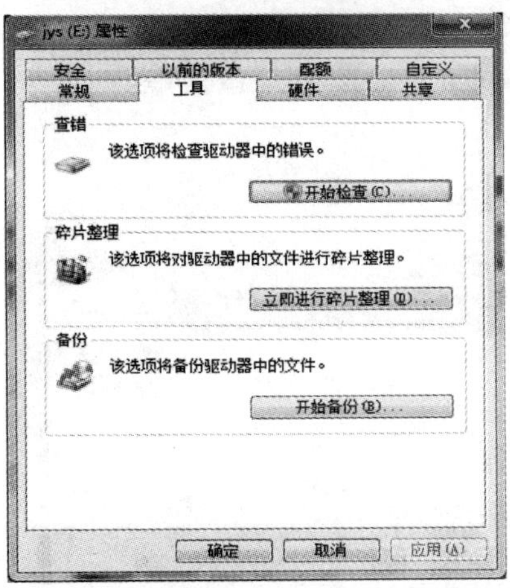

图 1 - 39　磁盘属性窗口

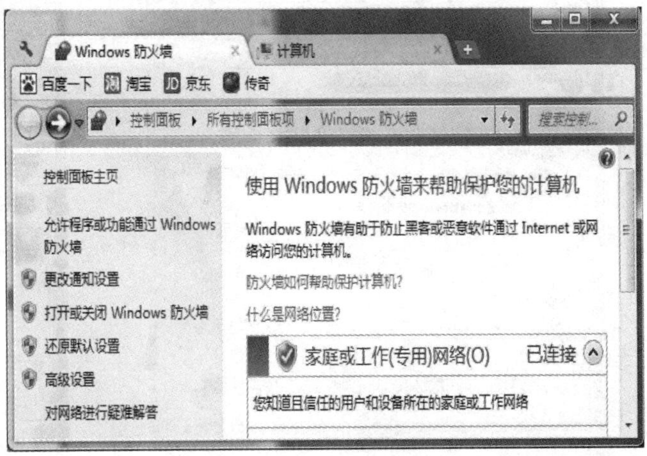

图 1 - 40　“Windows 防火墙”窗口

3. 单击“开始”菜单→“控制面板”→“Windows 防火墙”,可打开如图 1 - 40 所示的“Windows 防火墙”窗口,在该窗口中进行以下操作:

(1)单击“打开或关闭 Windows 防火墙”命令可启用或关闭防火墙。

(2)单击“允许程序或功能通过 Windows 防火墙”可确定允许通过 Windows 防火墙通信的程序。

任务 7:Internet 应用

【任务描述】

设置 Internet Explorer 浏览器,具体要求如下:

1. 起始页为 http://baidu.com。
2. 在收藏夹中创建一个“我的收藏”文件夹。

3. 将 http://sina.com.cn 添加到“我的收藏”文件夹中，并命名为“新浪”。

4. 设置在历史记录中保存网页的天数为 0。

【特别提示】

1. 启动 IE 浏览器后，单击“工具”菜单中的“Internet 选项”命令，在打开的如图 1 - 41 所示的“Internet 选项”窗口中单击“常规”选项卡，在“主页”区域可设置启动 IE 浏览器时默认打开的主页。

2. 利用图 1 - 41 的“浏览历史记录”区域的“设置(S)”按钮，可设置在历史记录中保存网页的天数。

3. 启动 IE 浏览器后，单击如图 1 - 42 所示的“收藏夹”，右击“收藏夹栏”，再单击弹出的“新建文件夹”命令，可在收藏夹中创建文件夹。

4. 打开网页后，单击“收藏夹”中的“添加到收藏夹…”命令，可选择将当前网页收藏到指定的文件夹中。将经常需要访问的网页添加到收藏夹，可直接通过收藏夹打开，是快速访问网站的有效途径。

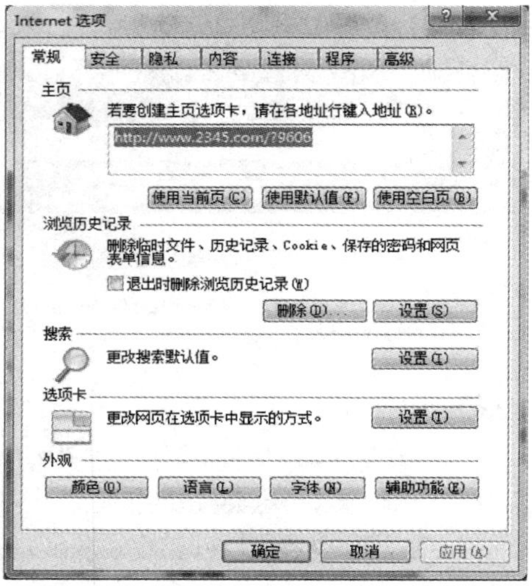

图 1 - 41 “Internet 选项”窗口

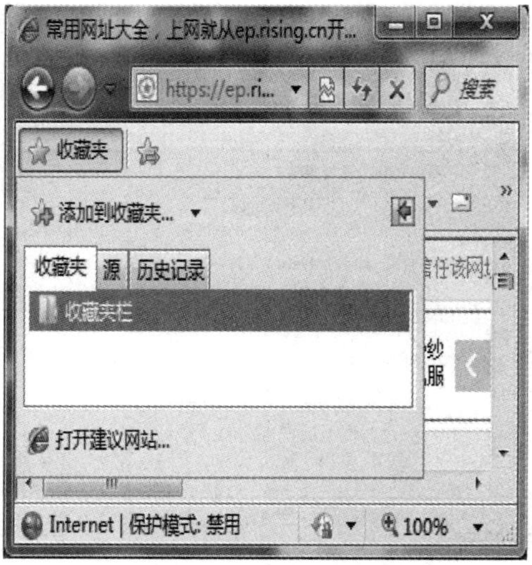

图 1 - 42 IE 收藏夹

5. 在“安全”选项卡中，可管理受信任的站点和受限制的站点，并设置相应的安全级别。

6. 在“隐私”选项卡中，可启用弹出窗口阻止程序。

7. 在“程序”选项卡中，可将 IE 设置为默认的浏览器、管理加载项等。

8. 在“高级”选项卡中，可设置安全选项。

9. 在其他浏览器(如 360 安全浏览器)的“工具”菜单中，也提供了“Internet 选项”命令，可以进行相应设置。有的浏览器也提供了个性化的设置项。

思考题

一、选择题

1. 在 Win 7 桌面上，有些图标左下角带箭头符号，表示该图标是______。

A. 文件　　B. 文件夹

C. 系统文件　　D. 快捷方式

2. 下面有关 Win 7 快捷键的说明中，正确的是______。

A.【Win + E】打开“计算机”窗口

B.【Win + D】隐藏/显示桌面上的所有窗口

C.【Alt + Tab】切换窗口

D.【Alt + Esc】切换窗口

3. Windows 应用程序的扩展名是______。

A. .Bat　　B. . EXE

C. . txt　　D. .MP3

4. 下面给出的操作中，系统管理员账户和标准账户都能进行的操作是______。

A. 安装应用程序　　B. 卸载应用程序

C. 创建文件和文件夹　　D. 添加其他账户

5. 可以在 Window 桌面上创建其快捷方式的是______。

A. 文件　　B. 文件夹

C. 逻辑盘　　D. U 盘

6. 在 Windows 桌面上，用户可以______。

A. 创建文件　　B. 创建文件夹

C. 删除所有图标　　D. 隐藏所有图标

7. 在资源管理器的搜索框内输入“? a* . jpg”后，搜索列表中不可能显示的文件名是______。

A. bto.jpg　　B. cak.jpg

C. cAb.jpg　　D. dacc.ico

8. 可以正常关闭计算机的操作是______。

A. 长按机箱上的电源按钮　　B. 按一下机箱上的电源按钮

C. 直接拔除电源　　D. 单击“开始”菜单的“关机”命令

9. 在计算机窗口中，可以打开“文件夹选项”窗口的操作是______。

A. 执行“工具”菜单的“文件夹选项”命令

B. 单击“组织”按钮的列表项“文件夹和搜索选项”

C. 在空白处右击，再单击弹出菜单的“查看”→“详细信息”命令

D. 单击“组织”按钮的列表项“布局”→“菜单栏”命令

10. 右击窗口的控制图标，在弹出菜单中没有的命令是______。

A. 移动　　B. 还原

C. 最小化　　D. 关机

11. 下列说法中错误的是______。

A. “C:\”表示 C 盘根目录　　B. 子目录不可与父目录同名

C. 拖动文件执行的是移动操作　　D. 文件名中不能有“?”字符

12. 执行以下操作后,借助工具能够恢复删除的文件的是______。

A. 按【Del】键删除文件　　B. 按【Shift + Del】组合建删除文件

C. 执行剪切操作的文件　　D. 将 U 盘格式化

13. 在某文件夹的属性窗口中选择“隐藏”项后单击“确定”按钮,文件夹图标仍然可见,这是因为______。

A. 单击“确定”按钮错误,应改为单击“应用”按钮

B. 窗口显示没有更新。需执行“查看”→“刷新”命令

C. “文件夹选项”中选择了“显示隐藏的文件、文件夹和驱动器”

D. 没有关闭计算机管理窗口。只有重新打开计算机窗口设置才能生效

14. 下面有关 Windows 的回收站说法中,正确的是______。

A. 在回收站属性窗口中,可设置不显示删除确认对话框

B. 在回收站属性窗口中,可设置不将文件移到回收站

C. 删除 U 盘中的内容是不会放到回收站的

D. 回收站实际上是一个文件夹,硬盘上的每个逻辑盘均有

15. 任务栏在屏幕上的位置可以是______。

A. 底部或顶部　　B. 左侧或右侧

C. 屏幕中心　　D. 任意位置

16. 通过“任务栏外观”可设置任务栏______。

A. 锁定　　B. 自动隐藏

C. 使用小图标　　D. 按钮合并方式

17. 设置桌面墙纸时,图片位置的选项包括______。

A. 平铺、填充　　B. 适应、拉伸

C. 对齐、缩放　　D. 居中

18. 计算机系统不能缺少______。

A. 操作系统　　B. 输入输出设备

C. 硬盘　　D. 图形图像处理软件

19. 假定 D:\myDoc 的文件夹中有以下文件,能够附到开始菜单的是______。

A. VB6. EXE　　B. 20170411. docx

C. 星期三 . txt　　D. cat.jpg

20. 某一局域网内有一台名为“jc0166”的计算机,其 D:\pub\Share 文件夹已设置为只读共享(共享名为“syShare”,已关闭密码保护)。那么,在同局域网内的另一台计算机上,能浏览到该共享文件夹的操作是______。

A. 双击桌面上的“网络”图标,在打开的窗口中,双击计算机列表中的“jc0166”计算机,再双击“syShare”文件夹图标

B. 双击桌面上的“网络”图标,在打开的窗口上方左侧的输入框内输入“\\jc0166\syShare”后按【Enter】键

C. 双击桌面上的“计算机”图标，在打开的窗口上方左侧的输入框内输入“\\jc0166\syShare”后按【Enter】键

D. 打开浏览器，在地址输入框内输入“\jc0166\syShare”后按【Enter】键

21. 组建家庭局域网不使用的设备有______。

A. 路由器　　B. 网卡

C. 中继器　　D. 交换机

22. 小区有局域网且网线已入户，则住户将入户接口______并设置网络连接后即可上网。

A. 直接与计算机网卡连接

B. 与路由器 WAN 端口连接，路由器 LAN 接口与计算机网卡连接

C. 与路由器 LAN 端口连接，路由器 WAN 接口与计算机网卡连接

D. 与无线路由器 LAN 端口连接（假定用户计算机带无线网卡）

23. 电信光纤宽带已入户，则用户计算机（已配置网卡）上网必需的设备有______。

A. 光猫　　B. 路由器

C. 集线器　　D. 无需其他设备

24. 手机具备 WLAN 上网功能，能利用其上网的前提是______。

A. 能接收到 WLAN 信号　　B. 能通过无线上网身份认证

C. 手机打开“WLAN”　　D. 手机打开“移动数据”

25. 假定路由器的 LAN 口 IP 为 192.168.1.1。利用该路由器上网的计算机分配的动态 IP 为 192.168.1.116。则进入路由器设置界面的方法是在 IE 浏览器地址栏输入______。

A. 192.168.1.1　　B. 192.168.1.116

C. 127.0.0.1　　D. 127.0.0.116

26. ______是网络安全的根本保证。

A. 严格的安全管理　　B. 严格的法律法规

C. 优良的职业道德　　D. 先进的安全技术

27. 病毒是指编制或者在计算机程序中插入的破坏计算机功能或数据，影响计算机使用并且能够自我复制的一组______。

A. 计算机指令　　B. 计算机指令或者程序代码

C. 计算机指令和程序代码　　D. 程序代码

28. 下面给出的病毒类型中，能感染可执行文件的有______。

A. 网络病毒　　B. 文件病毒

C. 引导型病毒　　D. 混合型病毒

29. 以下现象中，______表明计算机可能中毒。

A. 运行速度下降　　B. 打印出现问题

C. 突然死机　　D. 文件删除后无法恢复

30. 常见计算机病毒的解决方案有______。

A. 给操作系统打补丁　　B. 更新杀毒软件及防火墙

C. 访问杀毒网站获得解决方案　　D. 不访问不明网站、不安装不明软件

31. 保护计算机安全的常用措施有______。

A. 安装病毒防护软件，并及时更新、定期扫描

B. 不轻易打开不明文档、EXE 及 COM 可执行程序，关闭不必要的端口
C. 设置 IE 安全级别为“高”，并禁用一些控件和插件，拒绝恶意代码
D. 在“网络连接”属性中删除不必要的协议，只安装 TCP/IP 协议

32. 下面有关木马程序的描述中，正确的是______。
A. 木马程序是让用户计算机提供完全服务的一个服务器程序
B. 木马程序可以直接控制计算机并进行破坏，常伪装成工具程序或游戏
C. 木马程序常引诱用户打开邮件附件、从网上下载文件
D. 用户上网时，木马程序会向对方报告用户的 IP 及设定的服务端口

33. 下面描述中，正确的是______。
A. 钓鱼攻击主要利用欺骗性邮件和伪造 WEB 网站进行诈骗活动
B. 邮件轰炸是指不停地向不同用户发送电子邮件造成邮件服务器瘫痪
C. 个人防火墙可阻止网络上的其他用户对计算机的非法访问
D. 防火墙属于被动信息安全技术，密码技术属于主动的网络信息安全技术

34. 搜索引擎是一类独特的______。
A. 程序　　B. 网页
C. 网站　　D. 计算机指令

35. 目前常用的搜索引擎有______。
A. 百度　　B. 谷歌
C. 360　　D. 必应

36. 能获得网页上的图片的方法有______。
A. 右击→复制图片　　B. 右击→目标另存为
C. 右击→图片另存为　　D. 右击→使用迅雷下载

37. 成功登录 FTP 服务器后，用户可以______。
A. 下载文件　　B. 上传文件
C. 删除文件　　D. 复制文件

38. “断点续传”是指______。
A. 可从已上传部分开始继续上传未完成的部分
B. 可从已下载部分开始继续下载未完成的部分
C. 可在出现网络故障时继续上传未完成的部分
D. 可在出现网络故障时继续下载未完成的部分

39. 下面有关电子邮件的说法中，错误的是______。
A. 电子邮件地址格式为：用户名@主机名
B. 电子邮件地址不可能有重复
C. 电子邮箱实际上就是用户计算机上的文件夹
D. 可以将一份电子邮件同时发送给多个用户

40. 在使用 QQ 进行文件传输的方法有______。
A. 将文件直接上传到群文件
B. 向好友发送离线文件
C. 将资源管理器中的文件直接拖放到与好友的聊天窗口
D. 在资源管理器中复制文件后再粘贴到与群的聊天窗口

二、填空题

1. Windows 快捷键【Win+E】的作用是________。

2. 某程序运行一段时间后不能响应鼠标和键盘操作，单击其窗口右上方的关闭按钮也不响应。那么，强制关闭该程序的方法是______。

3. 在资源管理器中，如果需直接删除选择的文件而不放入回收站，可以先按下______键再按【Del】键。

4. 某窗口为最大化状态，如果双击其标题栏，则窗口将______。

5. 通常情况下，Windows 桌面上会显示“网络”“计算机”“回收站”图标。其中能直接按【Del】键删除的是______。

6. 在资源管理器中，选择第一个文件后按下______键，再单击最后一个文件，可以选择位置连续的多个文件。

7. Windows 默认创建了四个库，它们分别是________________________________。

8. 相对路径里常使用______来表示上一级目录。

9. 右击桌面空白处，鼠标移到弹出菜单的______菜单项，再单击下拉菜单命令“显示桌面图标”，可显示或隐藏桌面图标。

10. 创建应用程序的桌面快捷方式最简单的方法是____________________________。

三、操作题

1. 如何设置，使按下机箱电源按钮时能够重新启动计算机？

2. 如何设置，使某台计算机上安装的打印机能为局域网内其他计算机使用？

3. 如何将正在运行的程序锁定到 Windows 的任务栏？

4. 如果不小心删除了桌面上的“计算机”图标，如何恢复？

5. 更改计算机主题为“风景”，并设置屏幕分辨率为 1024×768。

第二章　Word 2010 文字处理

第一节　验证性实验

任务 1：设置字符格式与段落格式

【任务描述】

在 D 盘根目录下创建一个主文件名为 RW1 的 Word 文档。要求如下：

1. 文档内容（不含两行双横线）为：

硬盘三种常见格式化方式

低级格式化

介质检查；磁盘介质测试；划分磁道和扇区；对每个扇区进行编号（C/H/S）。只能在 DOS 环境或自写的汇编指令下进行，低级格式化只能整盘进行，现在硬盘出厂都是经过低格的，实际使用不到万不得已不要使用低格。

高级格式化

清除数据（写删除标记）；检查扇区；重新初始化引导信息；初始化分区表信息。可以在 DOS 和操作系统上进行，只能对分区操作。如果存在坏扇区可能会导致长时间磁盘读写。

快速格式化

删除文件分配表；不检查扇区损坏情况。可以在 DOS 和操作系统上进行，只能对分区操作。

X3 工作室提供

2. 对第一段落（首行）进行设置，具体要求为：

（1）居中。

（2）字体：三号、加粗、红色。

（3）段后间距：1 行。

3. 将第三、五、七段落设置为首行缩进 2 个字符。

4. 将第三段落的字符间距设为：加宽 4 磅。

5. 将第八段落（最后一行）设置为右对齐；字符“3”设置为上标。

6. 将最后一行的所有文本设置字符边框和底纹。

【操作步骤】

1. 设置第一段落居中对齐。

(1)将插入点停留在需设置段落格式的段落中(或选择需设置段落格式的段落)。

(2)单击“开始”选项卡。

(3)单击“段落”组的“居中”图标(或按【Ctrl + E】组合键)设置段落居中。

2. 设置第一段落的段后间距。

(1)单击“段落”组“行和段落间距”图标。

(2)单击弹出菜单中的“行距选项…”命令。

(3)在弹出的如图 2 - 1 所示的“段落”对话框中,在“段后(F):”右侧的输入框内输入:1 行。

3. 设置第一段落的字符格式。

(1)在第一行左侧单击,选择第一行。

(2)单击“开始”选项卡。

(3)在“字体”组单击“字号”右侧的下拉按钮。

(4)在弹出的菜单中选择“三号”。

(5)单击“加粗”图标,也可按【Ctrl + B】组合键。

(6)单击“字体颜色”按钮。

(7)在弹出的菜单中单击“红色”色块。

4. 将第三、五、七段落设置为首行缩进 2 个字符。

(1)在第三(五/七)段落中右击鼠标。

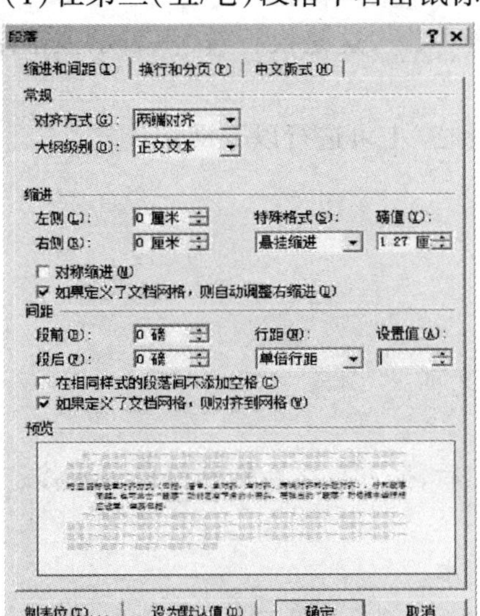

图 2 - 1　“段落”格式对话框

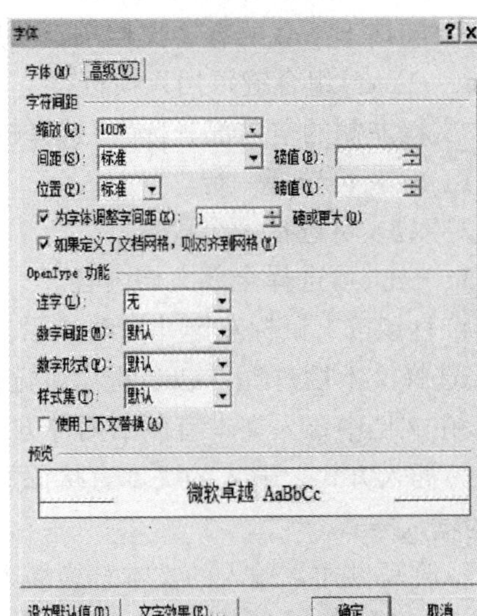

图 2 - 2　“字体”对话框“高级”选项卡

(2)单击弹出菜单的“段落(P)...”命令,弹出如图 2 - 1 所示的窗口。

(3)单击“特殊格式(S):”下方的下拉列表按钮,再单击弹出的列表项“首行缩进”。

(4)在“磅值(Y):”下方的组合框中输入:2 字符。

(5)单击“确定”按钮。

5. 设置第三段落的字符间距。

(1)在第三段落左侧双击,选择第三段落。

(2)按【Ctrl + D】组合键打开“字体”对话框。

(3)单击“高级”选项卡(如图 2 - 2 所示)。

(4)在“间距(S):”最右侧输入框输入:4 磅。

(5)单击“确定”按钮。

6. 设置最后一行的段落格式。

(1)将插入点移到最后一行。

(2)按【Ctrl + R】组合键。

7. 将字符“3”设置为上标。

(1)选择字符“3”。

(2)按【Ctrl + Shift + =】组合键。

8. 将最后一行的所有文本设置字符边框和底纹。

(1)单击最后一行左侧的选择栏。

(2)单击“开始”选项卡。

(3)分别单击“字体”组的“字符边框”和“字符底纹”命令。

9. 单击 Word 应用程序窗口左上角的“保存”按钮可保存文档,或按【Ctrl + S】组合键保存文档。

【特别提示】

1. 编辑文档时,按【Enter】(回车)键后会显示段落标记“↵”,表示段落结束。在 Word 文档中,有多少段落标记就有多少段落。

2. 在网络上下载的有些文档中,行结尾常有字符“↓”,这是换行符,不表示段落结束。按【Shift + Enter】组合键可插入换行符。

3. 文档左侧的空白部分称为“选择栏”。在“选择栏”上可进行以下操作:

(1)单击,可选择一行。

(2)双击,可选择一个段落。

(3)三击,可选择全部文档内容。

(4)直接按下鼠标左键并拖动鼠标,选择多行。

4. 选择文本后,按下【Ctrl】键后可选择不连续的文本。

5. 在文档中输入文本有以下两种方式:

(1)插入方式。输入的文本直接添加到插入点之后,插入点之后的字符自动后移。这是默认的输入方式。

(2)改写方式。输入的文本替换插入点之后的文本。

注意:按【Insert】键(有些键盘上是【Ins】键)可在“插入”和“改写”方式间切换。或单击状态栏(Word 应用程序窗口下方)的“插入”或“改写”命令进行切换。

6. 在“开始”选项卡的“字体”组仅列出了常用的字符格式设置命令,如果需要设置其他字符格式,可单击“字体”组右下角的小箭头(或按【Ctrl + D】快捷键)打开“字体”对话框进行设置。该对话框包括以下部分:

(1)“字体”选项卡(如图 2 - 3 所示)。在该选项卡中,没有在“开始”选项卡“字体”组列出的命令有“着重号”、“双删除线”、“小型大写字母”、“全部大写字母”、“隐藏”等。

(2)“高级”选项卡(如图 2 - 2 所示)。主要命令有“缩放”(可指定缩放的百分比,但缩放后字号并没有改变)、"间距"(改变字符之间的距离,可以加宽或紧缩指定的磅值)和"位置"(提升或降低字符位置)。

(3)"设为默认值(D)"按钮。可以设置好各种字符格式后单击该按钮,以改变 Word 的默认字符格式。

(4)"文字效果(E)..."按钮。单击该按钮,可以弹出如图 2 - 4 所示"设置文本效果格式"对话框。在该对话框中,可以设置文本填充、文本边框、轮廓样式、阴影、映像、发光和柔化边缘、三维格式等效果。在"开始"选项卡的"字体"组,"文本效果"命令与其功能相似但有差别。

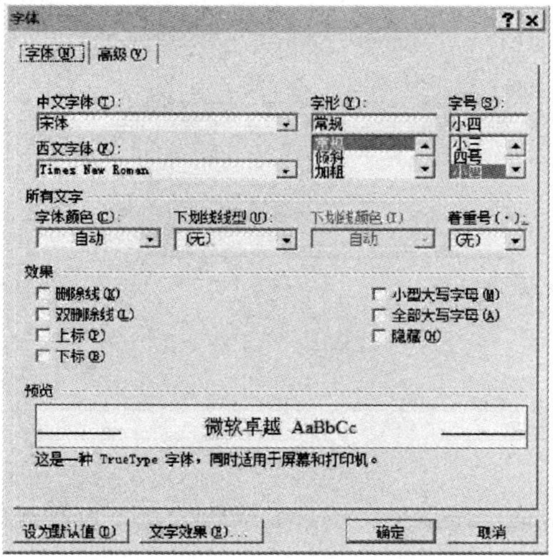

图 2 - 3　"字体"对话框"字体"选项卡

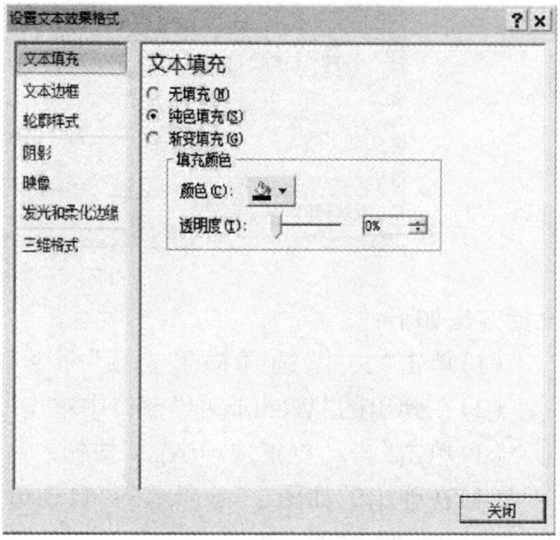

图 2 - 4　"设置文本效果格式"对话框

7. 在图 2 - 1 中,可设置段落缩进。缩进的方式有以下几种:

(1)左缩进:段落整体相对页面编辑区域左侧缩进。

(2)右缩进:段落整体相对页面编辑区域右侧缩进。

(3)首行缩进:段落第一行缩进。

(4)悬挂缩进:段落第一行以外的各行缩进。

8. 使用"字体"组中的"字符边框"和"字符底纹"命令可以快速设置字符边框和底纹,但不能修改线条和底纹颜色。如果需要修改线条或底纹颜色,使用"段落"组"线型"下拉列表中的"边框和底纹"命令,在弹出的如图 2 - 5 所示的"边框和底纹"对话框中,利用"边框"选项卡设置字符边框和边框线型和颜色,利用"底纹"选项卡设置底纹颜色。

注意:"应用于"下方的列表中选择"文字",则对字符设置边框和底纹。如果选择"段落",则对当前段落设置边框和底纹。

9. 在页面视图中,也可利用标尺设置缩进。

(1)单击"视图"选项卡"显示"组的"标尺",可选择或取消标尺的显示。

(2)在标尺左侧有三个滑块,从上到下依次为:首行缩进、悬挂缩进和左缩进。在标尺右侧有一个滑块,用于设置右缩进。

10. 段落首行需要缩进两个字符时,正确的方法是利用"首行缩进"进行设置。直接输入空格,或按【Tab】键的操作方法虽然在显示效果上没有差别,但要注意本质的不同。这两种方法均会造成文档字符数的增加,在电子出版物的排版格式要求中是禁止的。在 Word 中可利用"自动更正"功能将段落首行的空格或【Tab】按键产生的制表符自动替换为首行缩进。

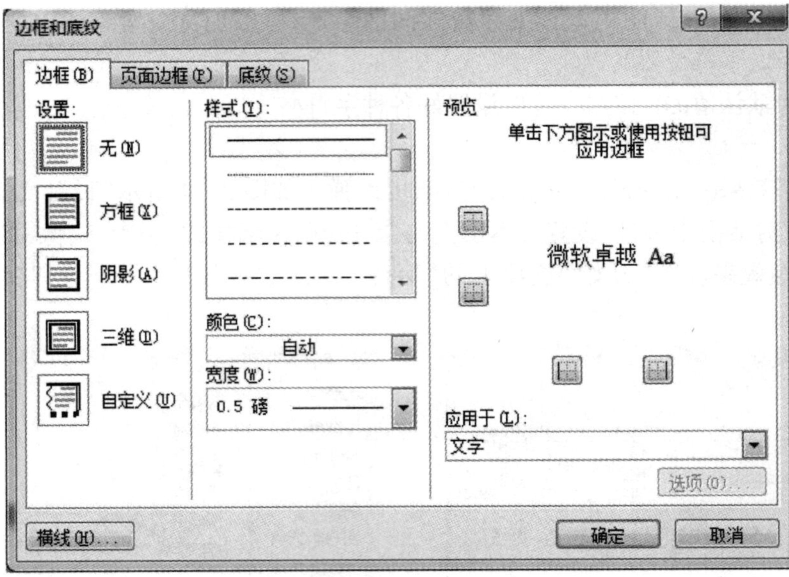

图 2 - 5 “边框和底纹”对话框

设置方法如下：

(1)单击“文件”选项卡的“选项”命令。

(2)在弹出的“Word 选项”窗口中单击“校对”命令。

(3)单击“自动更正选项(A)...”按钮。

(4)在弹出的如图 2 - 6 所示的“自动更正”对话框中选择“用 Tab 和 Backspace 设置左缩进和首行缩进”选项。

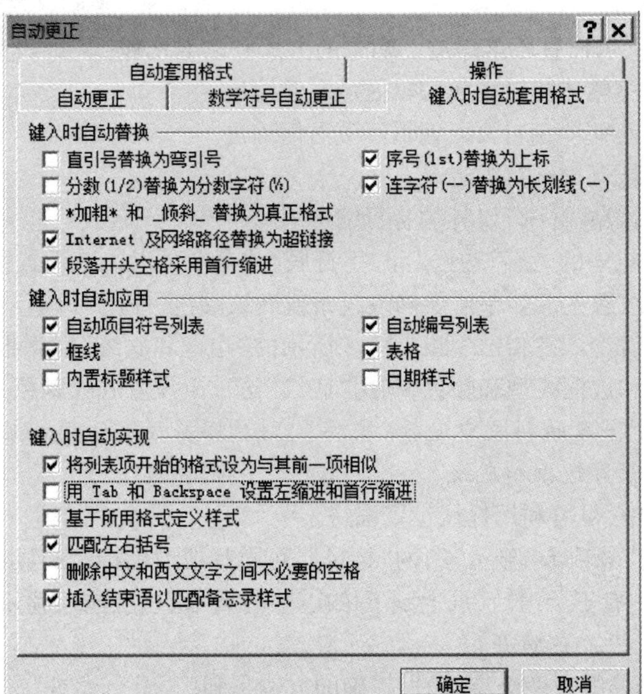

图 2 - 6 “自动更正”对话框

(5)单击“确定”按钮。

11. Word 中可利用以下组合键完成特定操作：

(1)【Enter】:插入段落标记。

(2)【Shift + Enter】:插入换行符。

(3)【Ctrl + Enter】:插入分页符。

(4)【Ctrl + D】:打开“字体”对话框。

(5)【Ctrl + = 】:设置或取消下标。

(6)【Ctrl + Shift + = 】:设置或取消上标。

(7)【Ctrl + E】、【Ctrl + L】、【Ctrl + R】、【Ctrl + J】:居中(左对齐、右对齐、两端对齐)。

(8)【Ctrl + Shift + J】:分散对齐。

(9)【Home】:将插入点移到行首。

(10)【End】:将插入点移到行尾。

(11)【Ctrl + Home】:将插入点移到文档开始位置。

(12)【Ctrl + End】:将插入点移到文档尾。

(13)【Ctrl + Z】:撤销操作,重复按键,可依次回撤。或单击快速访问工具栏上的“撤消输入”下拉列表,恢复到指定的操作位置。

(14)【Ctrl + Y】:恢复操作,是撤销的逆操作。

(15)【F4】:重复最后一次操作。

12. 在 Word 中选择文本后会显示字体设置的浮动工具栏,利用该工具栏可以快速设置字体、字号、字型等格式。

13. 保存文件时注意文件的保存类型。默认文件类型是 Word 文档(*. docx)。必要时可考虑保存为以下类型:

(1) Word 97 - 2003 文档(*. doc):为 Word 早期版本的文档格式。

(2) PDF(*. pdf):是由 Adobe Systems 用于与应用程序、操作系统、硬件无关的方式进行文件交换所发展出的文件格式,是在 Internet 上进行电子文档发行和数字化信息传播的理想文档格式。

(3) RTF 格式(*. rtf):是由微软公司开发的跨平台文档格式,大多数的文字处理软件都能读取和保存 RTF 文档。

(4) 纯文本(* . txt):仅保存文本内容,不能保存格式和图形。

(5) 网页(*. htm;*. html):生成可直接通过浏览器打开的网页文件。

(6) Word 模板(*. dotx):可直接利用 Word 模板快速生成相同格式的文档。

任务 2:查找与替换

【任务描述】

针对任务 1 给出的文档,利用“查找与替换”功能完成以下操作:

1. 将文档中所有“操作系统”替换为“Windows 操作系统”。

2. 将文档中所有“格式化”文本设置为红色加粗。

3. 将文件保存为 D:\RW2. docx。

【操作步骤】

1. 将“操作系统”替换为“Windows 操作系统”。

(1)将插入点定位到文档头。
(2)按【Ctrl + H】组合键打开如图 2 - 7 所示的“查找和替换”对话框。
(3)在“查找内容(N)”右侧的输入框内输入:操作系统。
(4)在“替换为(I)”右侧的输入框内输入:Windows 操作系统。
(5)单击“全部替换(A)”按钮。

2. 将文档中所有“格式化”文本设置为红色加粗。
(1)将插入点定位在文档头。
(2)按【Ctrl + H】组合键打开如图 2 - 7 所示的“查找和替换”对话框。

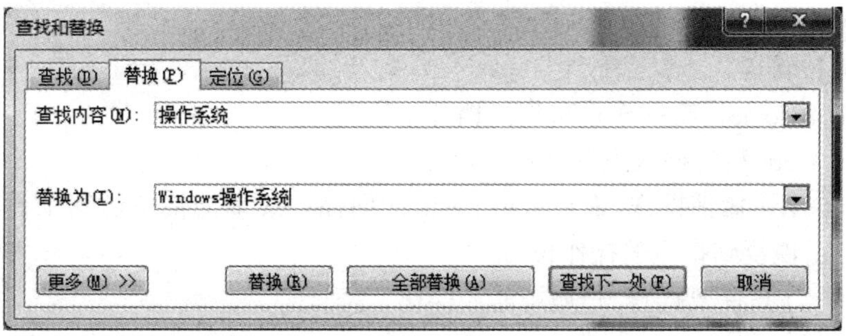

图 2 - 7 “查找和替换”对话框

(3)在“查找内容N”右侧输入:格式化。
(4)在“替换为(I)”右侧的输入框内单击。
(5)单击“更多(M)≫”按钮,如图 2 - 8 所示。
(6)单击对话框左下角的“格式(O)”按钮。
(7)在弹出的菜单中单击“字体”命令,弹出“查找字体”对话框。
(8)单击“字体”选项卡。
(9)在“字体颜色”列表中选择红色,在“字形”列表中选择“加粗”。
(10)单击“全部替换(A)”按钮。

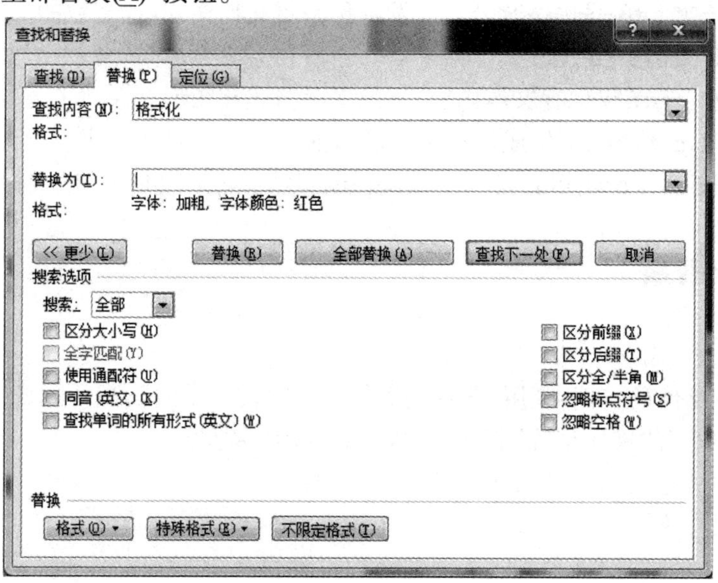

图 2 - 8 使用格式替换

【特别提示】

1. 在图 2 - 7 所示的窗口中，切换到“查找”选项卡，可在当前文档中查找但不替换内容。查找的内容支持文本、格式、特殊格式、图形和通配符。

2. 在图 2 - 7 所示的窗口中，切换到“定位”选项卡，可将插入点快速定位到指定的行和页。

3. 在进行替换时，可选择性的替换。在图 2 - 7 中，可以先单击“查找下一处(F)”按钮，如果需要对查找到的内容进行替换，则单击“替换(R)”按钮。如果不需要替换查找到的内容，再次单击“查找下一处(F)”按钮即可。

4. 利用“查找和替换”功能，能实现字符和格式的快速替换，借助通配符的使用，还可以实现更为复杂的查找和替换。查找时可使用的通配符有以下几种：

（1）“?”。代表任意一个字符。例如，“a? t”可查找到“act”但找不到“aspt”。

（2）“*”。代表多个任意字符。例如，“a* t”可找到“at”、“act”和“aspt”。

（3）“<”。指定单词的开头字符。例如，“<in”可找到以“in”开头的单词。

（4）“>”。指定单词的结尾字符。例如，“in>”可找到以“in”结尾的单词。

注意：“<”和“>”查找的是单词，不是字符。

请思考查找内容为“ab*”与查找内容为“<ab*”的区别。

可同时指定单词的开始和结尾。例如，“<in* net>”。

（5）“【 】”。指定字符串开头可出现的字符。例如，“【ab】*”可找到“ant”和“bed”，但找不到“cat”。

（6）“【 - 】”。指定范围内的字符（必须升序）。例如，“【a - d】pt”可找到“apt”“cpt”，但找不到“ppt”。

（7）“【!】”。指定不可出现的字符。例如，“<【! ab】*”只能找到不是以字母“a”或“b”开头的单词。“<【! a - c】*”只能找到首字符不是“a”“b”或“c”的单词。

（8）“{n}”。前一个字符或表达式必须匹配 n 次。n 为正整数。例如，“【0 - 9】{2}”可以找到“10”，但找不到“123”、“7”。

（9）“{n,}”。前一个字符或表达式至少匹配 n 次。n 为正整数。例如，“【0 - 9】{1,}”可以找到文档中的任何正整数串。

（10）“{n,m}”。前一个字符或表达式至少匹配 n 次，最多匹配 m 次。n 为正整数。例如，“【0 - 9】{1,3}” 可以找到“10”、“7”，但找不到“1234”。

（11）“@”。等效于“{1,}”。

（12）“( )”。用于对搜索表达式分组，以方便替换时分别处理查找到的各分组字符（参考下面的示例 3）。

示例 1：对文档中出现的所有数值设置为红色加粗。

①查找内容：【 - 0123456789.】{1,}。

②替换内容：（为空，不必输入任何内容）。

③将插入点定位到“替换为(I)...”输入框中，再单击“格式(O)”按钮，在弹出的菜单项中单击“字体”命令。

④在打开的对话框中设置相应的字符格式。

⑤单击“全部替换(A)”按钮。

示例 2：删除文档中的所有空行（只有段落标记无文本的行）。

①查找内容:^13{2,}

②替换内容:^p

注意:使用通配符查找时,查找内容中不能使用“^p”,必须用“^13”。

示例3:将文档中所有手动输入的编号“1、”“2、”“3、”...修改为“(1) ”“(2) ”“(3) ”...。

①查找内容:(【0 - 9】{1,})、

②替换内容:(\1) 。

注意:查找内容中的一对圆括号表示分组;替换内容中的“\1”表示显示查找到的第一组字符;替换内容的一对圆括号外有一个空格。

上面这种方法的局限就是替换前后的编号均不是Word的自动编号。如果需将手动输入的编号更改为自动编号,最简捷的办法是选择各编号段落后,再利用“开始”选项卡“段落”组的“编号”命令设置编号。这时输入的数字会自动按选择的编号格式进行替换。如果从某一段落开始需重新编号,可右击该段落,再单击弹出菜单的“重新开始于1(R)”命令。

任务3:使用项目符号和编号

【任务描述】

针对任务1给出的文档排版,效果如下(不含两条双横线):

硬盘三种常见格式化方式

一、低级格式化

- 介质检查
- 磁盘介质测试
- 划分磁道和扇区
- 对每个扇区进行编号(C/H/S)
- 只能在DOS环境或自写的汇编指令下进行,低级格式化只能整盘进行,现在硬盘出厂都是经过低格的,实际使用不到万不得已不要使用低格。

二、高级格式化

- 清除数据(写删除标记)
- 检查扇区
- 重新初始化引导信息
- 初始化分区表信息
- 可以在DOS和操作系统上进行,只能对分区操作。如果存在坏扇区可能会导致长时间磁盘读写。

三、快速格式化

- 删除文件分配表
- 不检查扇区损坏情况
- 可以在DOS和操作系统上进行,只能对分区操作。

X^3 工作室提供

具体要求如下：

1. 文档中的“一、”“二、”“三、”由“编号”自动生成。

2. 文档中的“⚐”由“项目符号”自动生成。

3. 文件保存为 D:\RW3. docx。

【操作步骤】

1. 文档自动编号。

（1）右击第二行。

（2）在弹出菜单“编号(N)”的下拉列表中选择“编号库”中的第四个格式。

（3）右击第二行。

（4）单击弹出菜单中的“调整列表缩进(U)...”命令，打开如图 2 - 9 所示“调整列表缩进量”对话框。

（5）设置：“编号位置(P)”0 厘米，“文本缩进(T):”0.5 厘米，“编号之后(W)”选择“不特别标注”。

（6）单击“确定”按钮。

（7）单击“开始”选项卡。

（8）双击“剪贴板”组的“格式刷”命令。

（9）分别单击文本中“高级格式化”和“快速格式化”所在行。

（10）单击“剪贴板”组的“格式刷”命令。

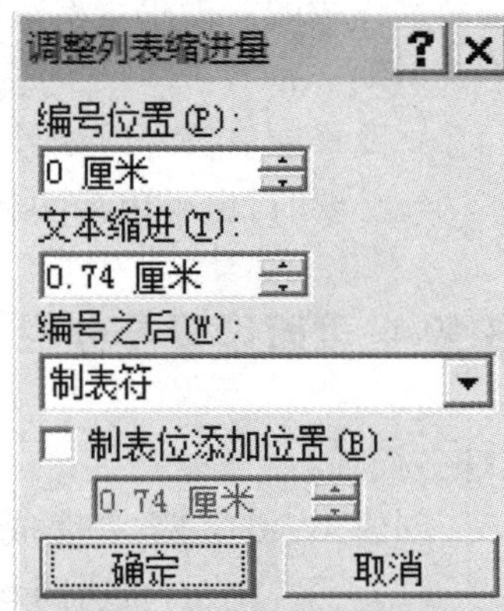

图 2 - 9　“调整列表缩进量”对话框

2. 生成项目符号。

（1）将插入点定位到“介质检查”行（第三行）。

（2）单击“开始”选项卡“段落”组“项目符号”右侧的下拉按钮，在弹出的列表项中单击“定义新项目符号(D)...”，打开如图 2 - 10 所示的“定义新项目符号”对话框。

（4）单击“符号(S)...”按钮。

（5）在弹出的如图 2 - 11 所示的“符号”对话框中，“字体”选择“Wingdings”，再在字符列表中选择“⚐”，单击“确定”按钮。

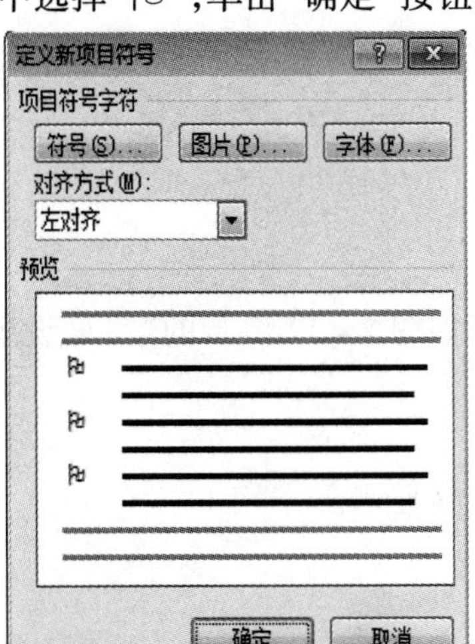

图 2 - 10　“定义新项目符号”对话框

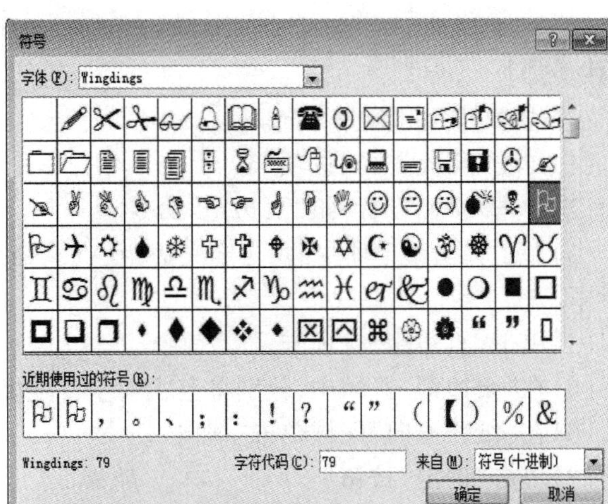

图 2 - 11　“符号”对话框

（6）选中第三行（当前行）。

（7）单击弹出菜单中的“调整列表缩进(U)...”命令，弹出如图 2 - 9 所示对话框。

（8）设置“编号位置(P)”0 厘米，“文本缩进(T):”0.85 厘米，“编号之后(W)”选择“制表符”。

（9）单击“确定”按钮。

（10）利用“格式刷”设置其他段落的项目符号。

【特别提示】

1. 格式刷的作用：复制格式并应用到其他位置。也可通过【Ctrl + Shift + C】组合键复制格式后，再通过【Ctrl + Shift + V】组合键粘贴格式。

2. 如果文档的一部分已经自动编号，当使用格式刷对文档的另一部分进行编号时，前后编号是连续的。如果需要重新编号，可右击需重新编号的段落，再单击弹出菜单的“重新开始于 1(R)”命令。

3. 设置项目符号或编号后，可利用“减少缩进量”或“增加缩进量”命令设置层次关系。

4. 必要时，也可单击图 2 - 10 中的“图片(P)...”命令，使用图片作为项目符号。

任务 4：页面设置与分栏

【任务描述】

创建 Word 文档，并完成以下设置：

1. 上、下、左、右页边距均为 3 厘米。

2. 纸张方向：横向。

3. 文字水印（文字：大学计算机基础实验；颜色：水绿色 R = 75、G = 172、B = 198；版式：斜式；半透明）。

4. 第二段落分为两栏，栏宽相等。

5. 页面边框：红色，0.5 磅双细线。

6. 文件保存为 D:\RW4. docx。

【操作步骤】

1. 设置页边距和纸张方向。

（1）单击“页面布局”选项卡。

（2）单击“页面设置”组“页边距”命令。

（3）单击弹出菜单项中的“自定义边距(A)...”命令，打开如图 2 - 12 所示的“页面设置”对话框。

（4）单击“页边距”选项卡。

（5）在“页边距”区域中，分别将上、下、左、右边距设置为 3 厘米。

（6）在“纸张方向”区域单击“横向”。

（7）单击“确定”按钮。

2. 设置文字水印。

（1）单击“页面布局”选项卡。

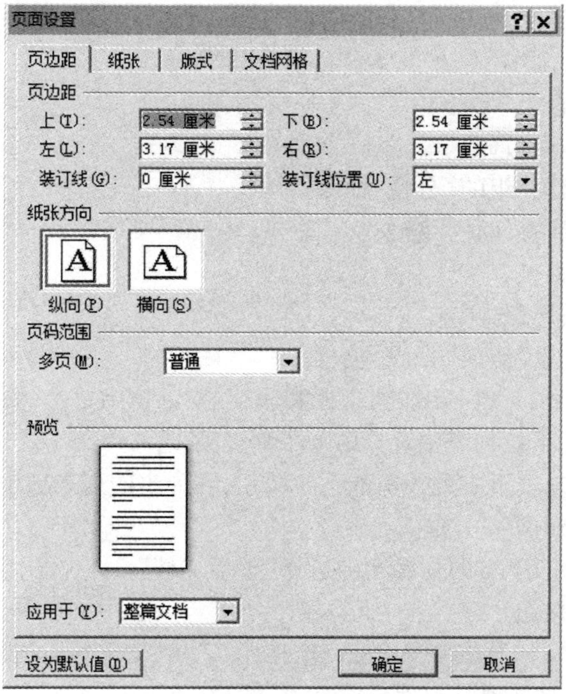

图 2 - 12　“页面设置”对话框

(2)单击“页面背景”组的“水印”项。

(3)单击弹出列表中的“自定义水印(W)...”命令，弹出如图 2 - 13 所示的“水印”对话框。

(4)选择“文字水印(X)”。

(5)在“文字(T):”右侧的输入框中输入文本：大学计算机基础实验。

(6)选择“斜式”和“半透明”两个选项(默认是选择的)。

(7)单击“颜色(C):”右侧下拉按钮。

(8)单击列表项“其他颜色(M)...”。

(9)单击“自定义”选项卡(如图 2 - 14 所示)。

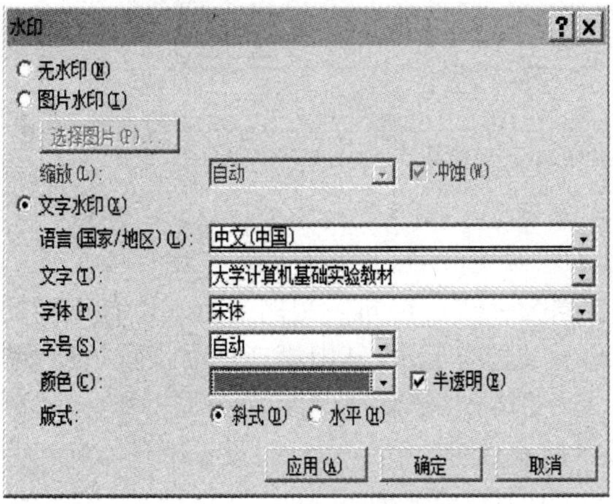

图 2 - 13　“水印”对话框

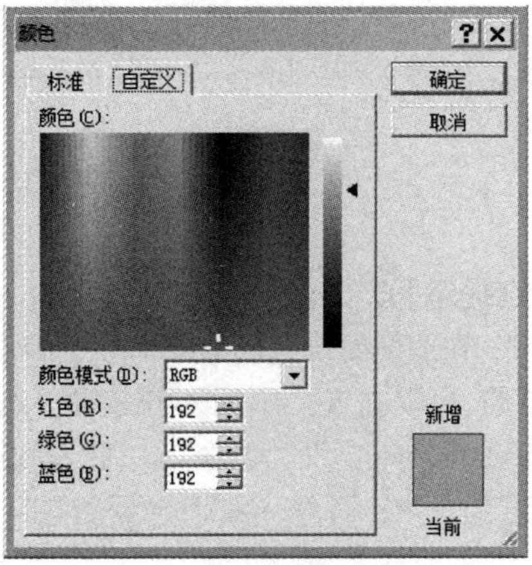

图 2 - 14　“颜色”对话框

(10)“颜色模式(D)”选择“RGB”(为默认选项)，在“红色(R)”右侧组合框内输入：75，在“绿色(G)”右侧组合框内输入：172，在“蓝色(B)”右侧组合框内输入：198，单击“确定”按钮。

(11)单击“水印”对话框中的“确定”按钮。

3. 将第二段落分为两栏。

(1)选择第二段落。

(2)单击“页面布局”选项卡。

(3)单击“页面设置”组的“分栏”命令。

(4)单击弹出菜单的“两栏”命令。

4. 设置页面边框。

(1)单击“页面布局”选项卡。

(2)单击“页面背景”组的“页面边框”。

(3)在弹出的如图2-15所示的“边框和底纹”对话框中单击“页面边框”选项卡。

(4)在“样式(Y):”下拉列表中选择第七个列表项。

(5)单击“颜色(C)...”下方列表框的下拉按钮,在弹出的列表项中选择“红色”。

(6)单击图2-15中的“方框(X)”。

(7)在“应用于(L):”下方的列表项中选择“整篇文档”。

(8)单击“确定”按钮。

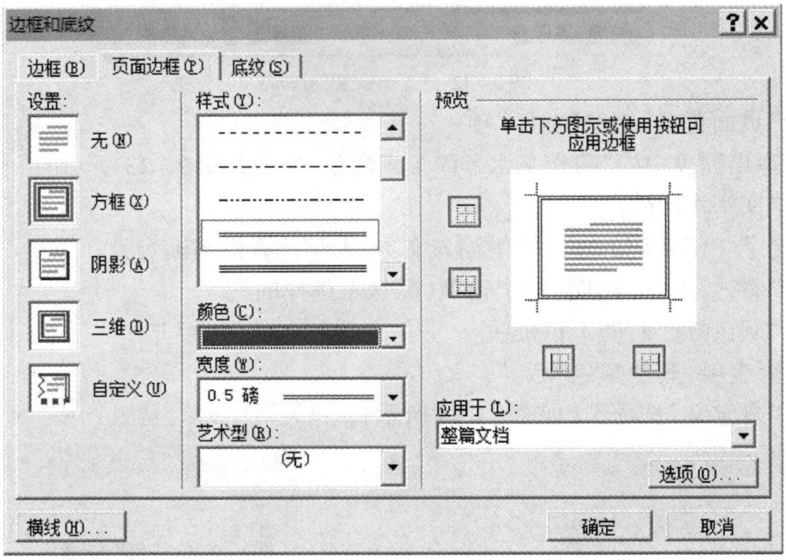

图2-15　“边框和底纹”对话框

【特别提示】

1. 节是页面设置的最小单位。默认整个文档为一节。在同一文档中为了设置不同的页面布局,可以在文档中插入分节符。例如,假定某文档有三页,其中第二页需设置横向纸张,其他页为纵向纸张。可在第一页末和第二页末分别插入分节符(“页面布局”选项卡“页面设置”组的“分隔符”→“下一页(N)”命令),再将插入点定位到第二页后设置纸张方向。

2. 页面设置时,注意“应用于”选项。默认应用于整篇文档。

3. 在图2-14所示的窗口中,选择样式和颜色后,也可在窗口右侧的“预览”区域单击各按钮,确定或取消相应边线的绘制。

4. 使用RGB模式自定义颜色时,红色(R)、绿色(G)、蓝色(B)的取值范围为[0,255](整数)。设置不同的值,可得到不同的颜色。

任务 5:公式编辑

【任务描述】

新建 Word 文档 D:\RW5. docx,并输入以下公式:

1. $(x+a)^n = \sum_{k=0}^{n} C_n^k x^k a^{n-k}$

2. $\left(\frac{u}{v}\right)' = \frac{u'v - uv'}{v^2}$

3. $\lim_{x\to\infty} \frac{2x^2+3x-1}{x^2+5x+3} = \lim_{x\to\infty} \frac{2+\frac{3}{x}-\frac{1}{x^2}}{1+\frac{5}{x}+\frac{3}{x^2}} = 2$

4. $\hat{y} = \begin{vmatrix} 1 & 2 \\ 3 & 4 \end{vmatrix}$

【操作步骤】

1. 输入公式 1。

(1)单击“插入”选项卡“符号”组的“公式”(或按【Alt + =】组合键),打开如图 2 - 16 所示的“公式工具 设计”选项卡。

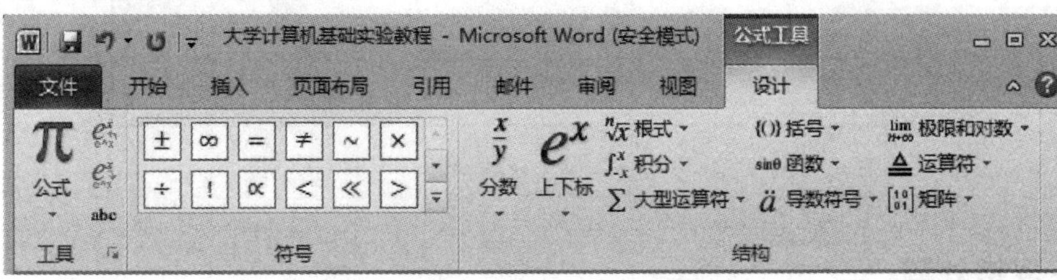

图 2 - 16　“公式工具 设计”选项卡

(2)将插入点移到公式输入框内。

(3)在“结构”组选择相应的结构,得到公式输入效果如下所示:

$$\square^{\square} = \sum_{\square}^{\square} \square_{\square}^{\square} \square^{\square} \square^{\square}$$

各结构依次为上标、求和(第二个)、下标 - 上标、上标、上标。等号符“ = ”直接输入。

(4)根据公式 1 在各结构的输入区内输入相应的字符。

2. 公式 2 的结构构成如下:

$$\left(\frac{\square}{\square}\right)^{\square} = \frac{\square^{\square} v - u\square^{\square}}{\square^{\square}}$$

3. 公式 3 的结构构成如下:

$$\lim_{\square} \frac{2\square^{\square}+3x-1}{\square^{\square}+5x+3} = \lim_{\square} \frac{2+\frac{\square}{\square}-\frac{\square}{\square^{\square}}}{1+\frac{\square}{\square}+\frac{\square}{\square^{\square}}} = 2$$

4. 公式 4 的结构构成如下:

$$\hat{\square} = \begin{vmatrix} \square & \square \\ \square & \square \end{vmatrix}$$

输入顺序应为“导数符号”类别中的“乘幂号”、等号“ = ”、“括号”类别中第二行第三个

“方括号”、“矩阵”类别中的“2 ×2 空矩阵”。

【特别提示】

1. 输入公式时，最好先确定公式中的各个结构，再输入符号。

2. 单击“插入”选项卡，在“文本”组单击“对象”命令，在弹出如图 2 - 17 所示的“对象”窗口的“新建”选项卡的“对象类型”列表中选择“Microsoft 公式 3.0”也可输入公式。这是 Office 早期版本输入公式的方法，不建议使用。

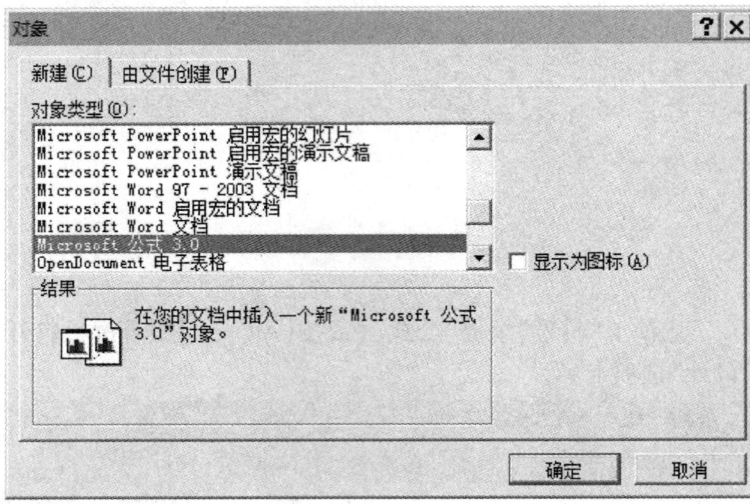

图 2 - 17 “对象”窗口

任务 6：表格处理

【任务描述】

1. 创建 D:\RW6. docx 文档，输入以下四行，并将其转换为表格：

棉花,12,10,9,11

芝麻,5,6,7,8

玉米,15,16,12,14

黄豆,8,7,9,8

季度 产品	1	2	3	4	小计
棉花	12	10	9	11	
芝麻	5	6	7	8	
玉米	15	16	12	14	
黄豆	8	7	9	8	

图 2 - 18 表格图示

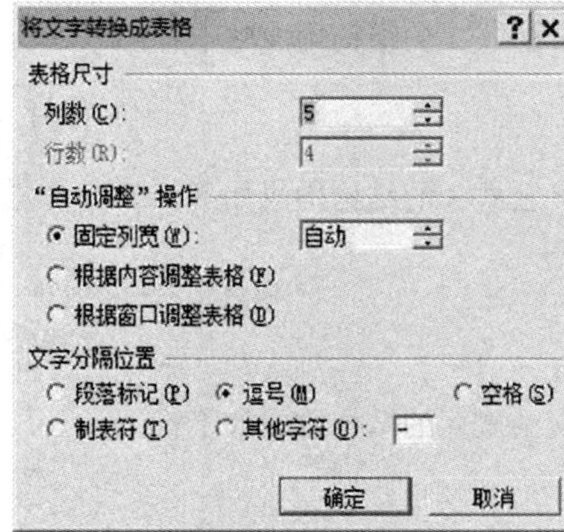

图 2 - 19 “将文字转换成表格”窗口

2. 上面表格第一行前增加一行，最后增加一列，得到如图 2 - 18 所示的表格。

3. 利用公式计算各产品的小计。

【操作步骤】

1. 文本转表格。

(1) 选择需要转换为表格的文本行。

(2) 单击“插入”选项卡。

(3) 在“表格”组中，单击“表格”命令。

(4) 单击弹出菜单的“文本转换成表格(V)...”命令。

(5) 在弹出的如图 2 - 19 所示的“将文字转换成表格”窗口中单击“确定”按钮。

2. 插入第一行。

(1) 在表格第一行左侧右击。

(2) 单击弹出菜单的“插入”→“在上方插入行(A)”命令。

3. 插入最后一列。

(1) 在表格最后一列上右击。

(2) 单击弹出菜单“插入”→“在右侧插入列(R)”命令。

4. 在第一个单元格绘制斜线表头。

(1) 将插入点移到表格第一行第一列的单元格。

(2) 按回车键。

(3) 单击“表格工具 设计”选项卡。

(4) 在“绘图边框”组单击边框列表项“斜下框线(W)”命令。

(5) 在左上角单元格内，第一行输入“季度”，并设置为右对齐；在第二行输入“产品”并设置为左对齐。

5. 计算小计。

(1) 将插入点移到“棉花”行对应的“小计”单元格。

(2) 单击“表格工具 布局”选项卡。

(3) 单击“数据”组的“公式”命令。

(4) 在弹出的窗口中输入公式“ = SUM(LEFT)”。

(5) 单击“确定”按钮。

(6) 在刚才输入公式的单元格左下角单击，再按【Ctrl + C】组合键完成复制。

(7) 选择其他未计算小计的所有小计列的单元格区域。

(8) 按【Ctrl + V】组合键。

(9) 按【F9】键刷新公式。

【特别提示】

1. 在 Word 文档中插入表格有以下几种方式：

(1) 文字转换为表格。设置时要留意“文字分隔位置”部分的选项。其中“逗号”是半角符号，不是中文逗号。如果使用中文标点，需先将中文标点复制后粘贴到“其他字符”位置。

(2) 插入自动表格。单击“插入”选项卡“表格”组的“表格”命令，在弹出列表项后移动鼠标，在需要的表格行数和列数处单击，即可插入表格。

(3)根据指定的行列数插入表格。单击“插入”选项卡“表格”组的“表格”命令,再单击弹出菜单的“插入表格(I)...”命令,在弹出的如图 2 - 20 所示的“插入表格”窗口中设置列数和行数后,单击“确定”按钮,即可在文档中插入表格。

(4)绘制表格。单击“插入”选项卡“表格”组的“表格”命令,再单击弹出菜单的“绘制表格(D)”命令,这时鼠标指针为笔形状,在文档中按下鼠标并拖动,可绘制表格。

(5)插入快速表格。单击“插入”选项卡“表格”组的“快速表格(T)”命令,再单击弹出菜单的表格样式,可插入 Word 内置的快速表格。

(6)插入 Excel 电子表格。单击“插入”选项卡“表格”组的“Excel 电子表格(X)”命令,可在 Word 文档中插入 Excel 电子表格。Excel 电子表格计算方便,计算产生的数据能自动更新。当需要对表格数据进行复杂计算时,建议使用这种方法。

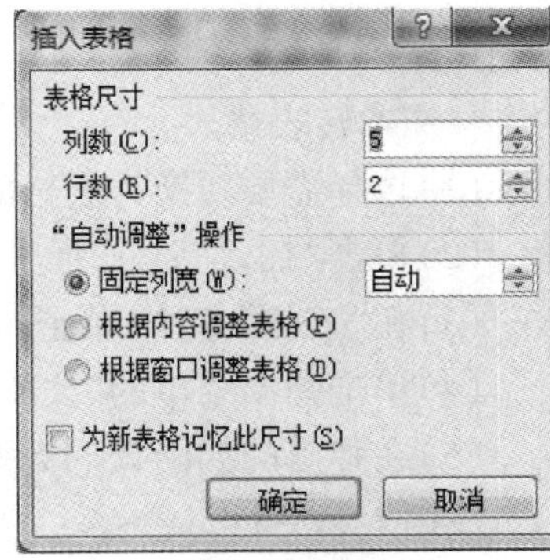

图 2 - 20 “插入表格”窗口

2. 选择表格后,也可利用“表格工具 布局”选项卡“数据”组的“转换为文本”命令将表格转换为文本。

3. 创建表格后,利用如图 2 - 21 所示的“表格工具 设计”选项卡可以应用表格样式或绘制、修改表格。利用如图 2 - 22 所示的“表格工具布局”选项卡可对表格格式进行调整,如增加(删除)行或列、合并单元格、绘制表格线或应用表格样式等。

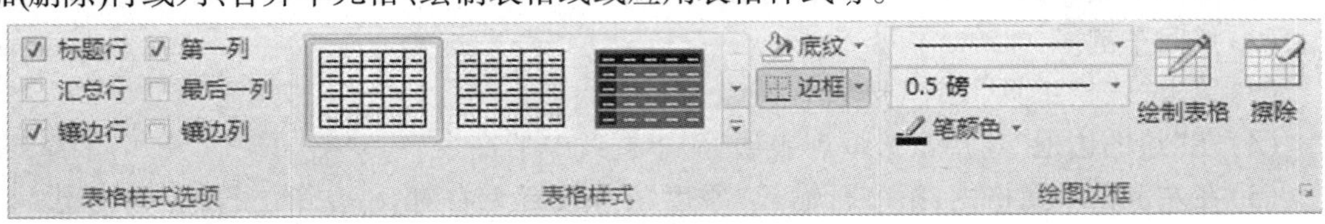

图 2 - 21 “表格工具设计”选项卡

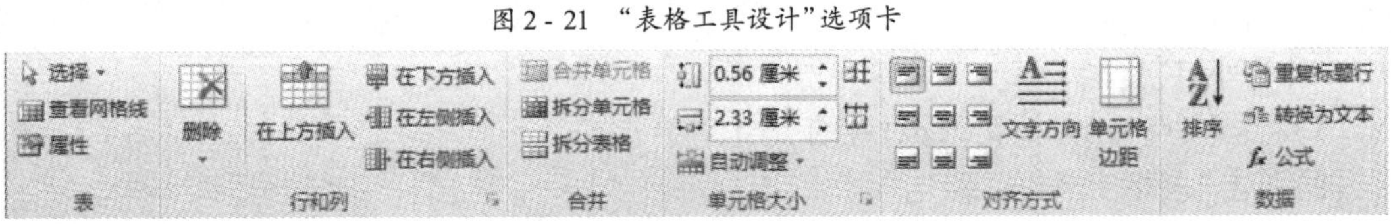

图 2 - 22 “表格工具布局”选项卡

4. 在利用公式计算表格数据时,常用的函数有 SUM(求和)、AVERAGE(求平均值),函数参数可以是以下几种:

(1)LEFT:表示左侧所有数据。

(2)RIGHT:表示右侧所有数据。

(3)ABOVE:表示上方所有数据。

(4)BELOW:表示下方所有数据。

(5)单元格名称,如 SUM(A1:A10)(表示第一列前 10 个数据的和)。

(6)数值常量,如 SUM(10,12,13)。

任务 7:图片处理

【任务描述】

1. 创建 D:\RW7. docx 文档。

2. 在文档中插入如图 2 - 23 所示图片并将背景做透明处理。

3. 利用绘图工具设计如图 2 - 24 所示的图形。要求：

(1) 五角星：渐变填充(类型：路径；两个渐变光圈，左白色右黑色)、无轮廓。

(2) 文字为艺术字。文本填充：白色；文本轮廓：黑色；隶书 80 号。

(3) 文字与五角星组合为一个图形，并设置为紧密型环绕。

图 2 - 23　需透明背景的图片

图 2 - 24　绘制的组合图形

【操作步骤】

1. 图片背景透明处理。

(1) 单击“插入”选项卡。

(2) 在“插图”组中单击“剪贴画”命令，打开如图 2 - 25 所示的“剪贴画”面板。

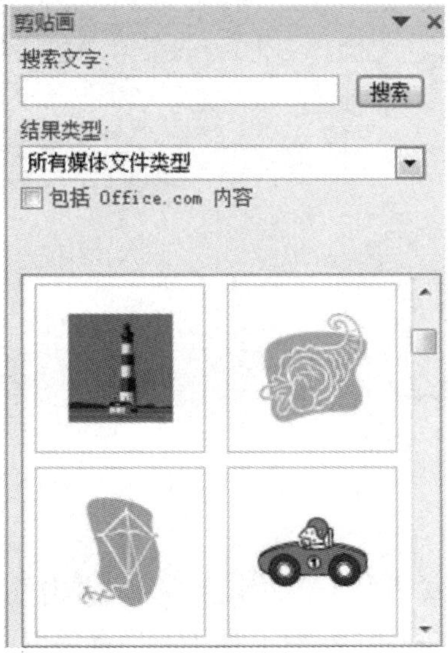

图 2 - 25　“剪贴画”面板

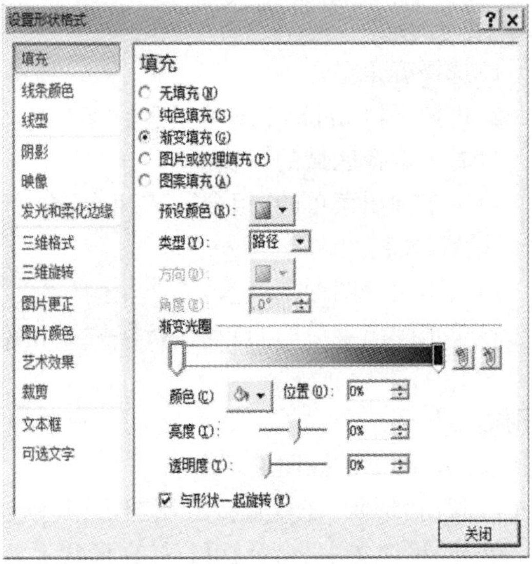

图 2 - 26　“设置形状格式”窗口

(3) 单击“剪贴画”面板中的“搜索”按钮。

(4) 在剪贴画列表中选择如图 2 - 23 所示的图片。

(5) 在“图片工具”“格式”选项卡的“调整”组中，单击“颜色”→“设置透明色”命令。

(6) 单击背景区域。

2. 五角星的绘制。

(1) 单击“插入”选项卡。再单击“插图”组的“形状”命令。

(2)在弹出的列表项中单击“星与旗帜”类别中的五角星图标。

(3)在文档空白区域按下鼠标左键并拖动,画出一个五角星图形,并适当调整大小。

(4)右击刚绘制的五角星,单击弹出菜单的“设置形状格式”命令。

(5)在弹出的如图 2 - 26 所示的“设置形状格式”窗口,完成以下操作:

①在左侧的格式类型列表中选择“填充”。

②在窗口右侧选择“渐变填充”。

③在窗口右侧的“类型(Y):”列表项中选择“路径”。

④将中间光圈拖曳出去并删除,保留两个渐变光圈。

⑤单击左侧的光圈滑块,再在下方的“颜色(C)”列表中选择白色。

⑥单击右侧的光圈滑块,再在下方的“颜色(C)”列表中选择黑色。

⑦单击“确定”按钮。

(6)单击“绘图工具 格式”选项卡,在“形状样式”组单击“形状轮廓”按钮,在弹出的列表中单击“无轮廓(N)”。

3. 设置艺术字。

(1)单击“插入”选项卡“文本”组的“艺术字”图标。

(2)在弹出的艺术字样式列表中选择第一项。

(3)输入文本:少年强则国强,单击“确定”按钮。

(4)单击“绘图工具 格式”选项卡。

(5)在“艺术字样式”组:“文本填充”选择白色,“文本轮廓”选择黑色。

(6)选择所有艺术字文本,设置字体为“隶书”,字号 80。

4. 组合图形。

(1)选择五角星。

(2)再按下【Ctrl】键单击艺术字。

(3)右击选择区域的边线。

(4)单击弹出菜单的“组合”→“组合”命令。

5. 设置环绕。

(1)右击组合图形。

(2)单击弹出菜单的“自动换行”→“紧密型环绕”命令。

【特别提示】

1. 在 Word 中的插图处理方法。

(1)利用“形状”工具直接绘制图形,其默认环绕方式为“浮于文字上方”。右击绘制的形状,单击“添加文字”命令,可直接在形状上显示文字。利用“绘图工具 格式”选项卡,可对其进行形状填充、设置形状轮廓和效果。

(2)插入图片文件,其默认环绕方式为“嵌入型”,即嵌入到文本行中。利用“图片工具 格式”选项卡可设置图片边框、艺术效果、图片样式等,还可另存为图片文件。

(3)插入剪贴画。在系统中有预置的图片。如果已经连接到 Internet,则还可包括 Office.com 提供的图片。

(4)插入 SmartArt 图形。用于流程图、结构图或关系图的设计,文字关联清晰、生动,图形别具一格。可利用“SmartArt 工具”进行样式和布局设计。

(5)屏幕截图。利用“插入”选项卡“插图”组的“屏幕截图”命令,可以对屏幕进行剪辑后粘贴到 Word 文档中,利用“图片工具”进行格式调整,还可另存为图片文件。

2. 在文档中插入 SmartArt 图形。

(1)单击“插入”选项卡。

(2)单击“插图”组“SmartArt”图标,打开“选择 SmartArt 图形”窗口。

(3)在以下八种类型中选择合适的图形类型:

①列表。显示非有序信息或分组信息,主要用于强调信息的重要性。

②流程。表示任务流程的顺序或步骤。

③循环。表示阶段、任务或事件的连续序列,主要用于强调重复过程。

④层次结构。用于显示组织中的分层信息或上下级关系。

⑤关系。用于表示两个或多个项目之间的关系,或者多个信息集合之间的关系。

⑥矩阵。用于以矩阵的方式显示部分与整体的关系。

⑦棱锥图。用于显示比例关系、互连关系或层次关系。

⑧图片。主要应用于包含图片的信息列表。

(4)根据需要添加、删除或更改形状,编辑文字(在右键菜单中有相应命令)。

(5)在“SmartArt 工具 设计”选项卡中设置布局和样式。

(6)在“SmartArt 工具 格式”选项卡中设置形状样式、文本的艺术字样式和环绕方式。

3. 图片在文档中的文字环绕方式。

(1)嵌入型。这是插入图片默认的文字环绕方式,图片被视为文本的一部分。

(2)四周型环绕。图形占据一个矩形区域,矩形区域之外可显示文字。矩形边界与文字的间距可通过如图 2 - 27 所示的“布局”窗口设置(右击图片,再单击弹出菜单的“大小和位置(Z)...”命令,在弹出的窗口中单击“文字环绕”选项卡,即可显示该窗口)。

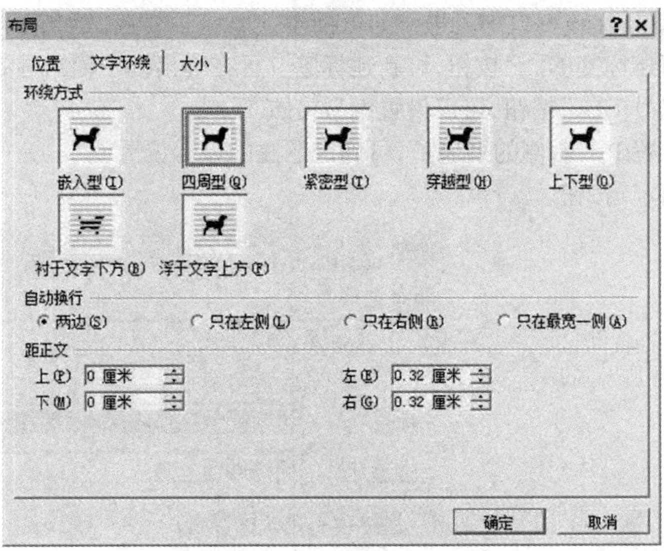

图 2 - 27　“布局”窗口

(3)紧密型和穿越型。适合于背景透明的不规则图片,文字紧贴图片边框显示。

(4)上下型。只允许图片上下方显示文本。

(5)衬于文字下方。将图片显示在整个文本层的下一层。

(6)浮于文字上方。将图片显示在整个文本层的上一层。

4. 设置插入图片默认的文字环绕方式：单击“文件”选项卡“选项”命令，在弹出的窗口左侧面板上单击“高级”命令，在如图 2-28 所示的“Word 选项”窗口右侧中，找到“将图片插入/粘贴为(I):”项，在其右侧的下拉列表中选择需要的环绕方式后单击“确定”按钮。

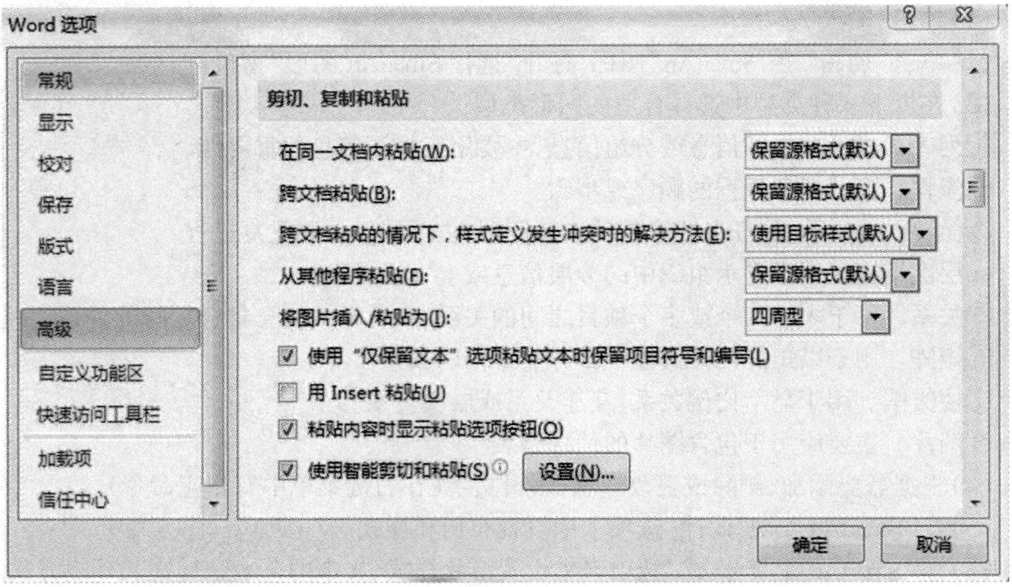

图 2-28 “Word 选项”窗口

5. 右击插入的形状图形，再单击弹出菜单的“编辑顶点(E)”命令，这时形状周围会显示一些如图 2-29 所示的黑色小方块，拖动这些小方块，可改变形状轮廓。双击轮廓边线可添加顶点，右击顶点，再单击弹出菜单的“删除顶点”命令可删除顶点。

6. 为图片插入题注：右击图片，再单击弹出菜单的“插入题注(N)...”命令，打开如图 2-30 所示的“题注”窗口，在该窗口中可进行如下操作：

（1）单击“新建标签(N)...”按钮，可新建标签。可在弹出框中输入标签名，如“图 1-”。

（2）单击“编号(U)...”按钮，可以设置编号格式。

（3）单击“位置(P):”右侧的列表项，可确定题注的显示位置。

（4）单击“确定”按钮。

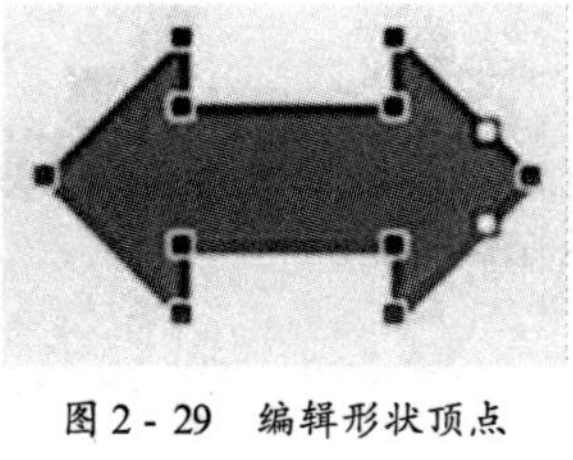

图 2-29 编辑形状顶点

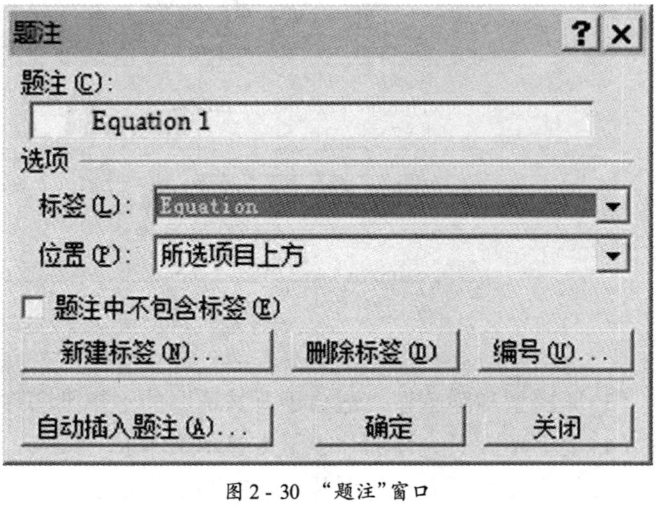

图 2-30 “题注”窗口

任务 8:创建页眉与页脚

【任务描述】

1. 创建 D:\RW8. docx 文档,至少输入四页文本,内容不限。

2. 设置奇数页页眉为“任务文档”,四号宋体,居中。

3. 设置页脚显示页码。格式:第 X 页共 Y 页。奇数页页码右对齐,偶数页页码左对齐。

4. 设置偶数页页眉为“Word 实验操作”,四号宋体,居中。

【操作步骤】

1. 设置奇偶页有不同的页眉和页脚。

(1)单击“页面布局”选项卡。

(2)单击“页面设置”组右下角的下拉按钮。

(3)在弹出的窗口中单击“版式”选项卡。

(4)选择“奇偶页不同”,如图 2 - 31 所示。

2. 设置页眉。

(1)单击“插入”选项卡。

(2)单击“页码和页脚”组中“页眉”图标。

(3)在弹出的列表中单击“编辑页眉(E)”命令。

(4)在奇数页页眉输入:任务文档。

(5)选择输入的整个文本,设置宋体四号并居中。

(6)在偶数页页眉输入:Word 实验操作。

(7)选择输入的整个文本,设置宋体四号并居中。

3. 设置页脚。

(1)将插入点移到奇数页页脚区。

(2)单击“插入”选项卡。

(3)单击“页码”。

(4)单击“当前位置”的第二个列表项“X/Y”。

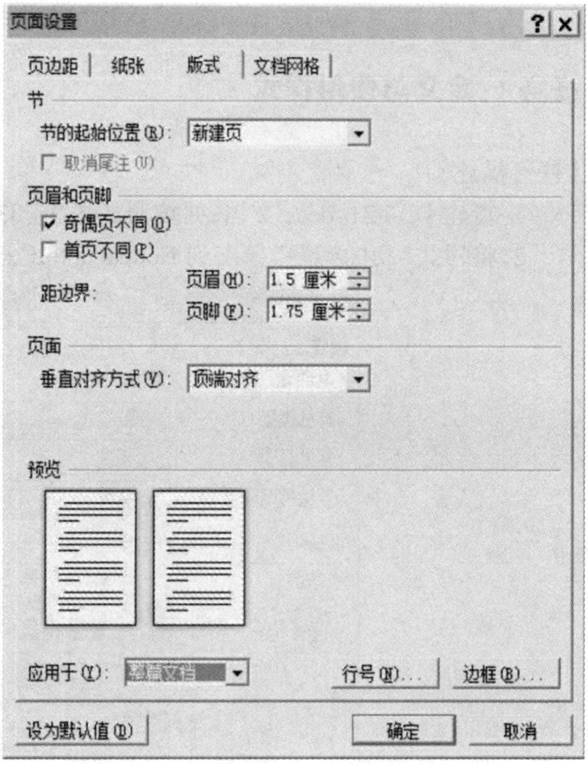

图 2 - 31　“页面设置 - 版式”窗口

(5)如果页码显示的不是“第 X 页共 Y 页”格式,则保持数值不动,添加相应字符。如显示为“1/ 2”,则修改为“第 1 页共 2 页”。

(6)设置奇数页页脚段落格式为右对齐。

(7)复制奇数页页脚文本后,粘贴到偶数页页脚区,并设置段落格式为左对齐。

【特别提示】

1. 在 Word 中,同一节的页眉相同,页脚相同(首页、奇偶页可以不同)。

2. 不同的节可以有不同的页眉和页脚。必要时,可在文档中插入多个分节符以实现各节页眉和页脚不同的显示效果。在设置时要注意取消“与上一节相同”的默认设置(单击“页眉和页脚工具设计”→“链接到前一条页眉”即可设置或取消)。

3. 如果某一节的起始页码要从 1 开始重新记数,则需在“插入”选项卡中单击“页码”下拉列表项“设置页码格式(F)...”,在弹出的如图 2 - 32 所示的“页码格式”窗口中选择“起始页码”并设置为 1。

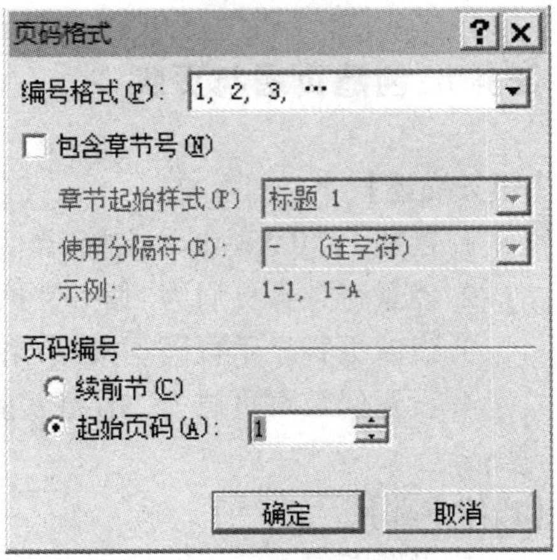

图 2 - 32 “页码格式”窗口

第二节 拓展性实验

任务 1:定义与使用样式

【任务描述】

1. 新建 D:\TZ1. docx 文档,并按照如图 2 - 33 所示定义新样式。

2. 将样式“我的标题”导出到 Normal.dotm(公用模板)。

图 2 - 33 “根据格式设置创建新样式”窗口

【特别提示】

1. 在“开始”选项卡的“样式”组，单击右下角箭头，可在 Word 窗口右侧弹出“样式”窗格。在“样式”窗体中单击“新建样式”按钮（在窗格左下角）可弹出如图 2 - 33 所示的“根据格式设置创建新样式”窗口。

2. 必要时，可在图 2 - 33 窗口中单击“格式(O)”按钮，设置或取消相关格式。

3. 在“样式”窗格中，单击“管理样式”按钮，在弹出的“管理样式”窗口中单击“导入/导出(X)...”按钮，可弹出如图 2 - 34 所示的“管理器”窗口。在该窗口中，可将自定义样式导出到共用模板中。

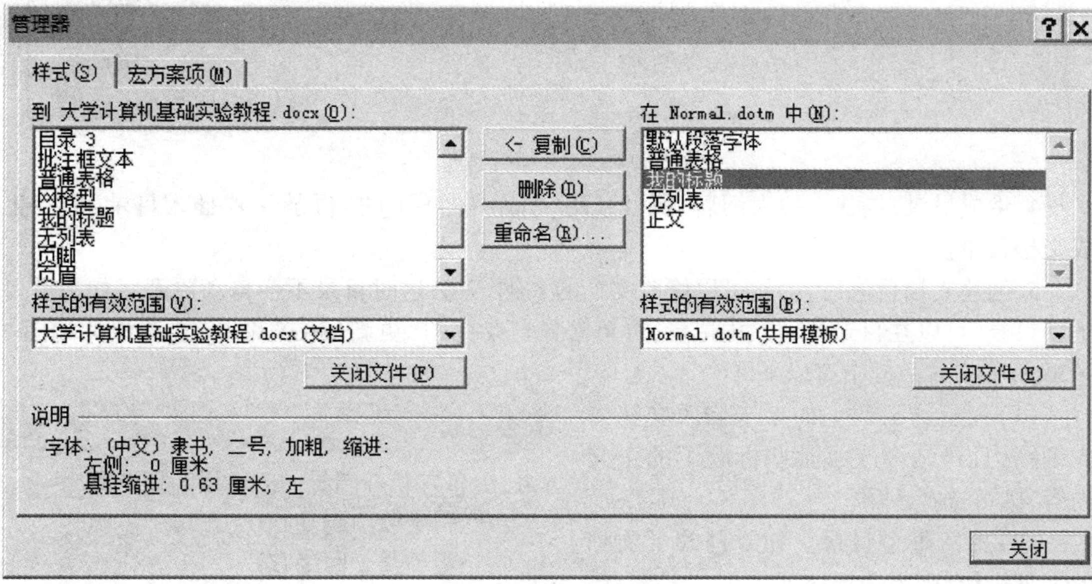

图 2 - 34 “管理器”窗口

4. 在“样式”窗格或“样式快速列表”（位于“开始”选项卡的“样式”组）中，单击相应样式，即可将其应用到所选文本或当前段落。

5. 定义各类样式后，可将文档保存为模板（扩展名为.dotx），以后需编辑同类格式的文档时，可以利用该模板直接创建新文档，方便快捷。

6. 应用“样式”可以快速设置文档标题和正文的字体、颜色。在“页面布局”选项卡的“主题”组中，Word 2010 预设了各类主题可选择应用。也可以根据实际需要，自定义主题。

任务 2：创建文档大纲和目录

【任务描述】

新建 D:\TZ2. docx 文档，参考本教材的目录页创建文档目录。要求目录页不显示页码，正文部分在页脚从 1 开始显示页码（格式：简单 - 普通数字 1）。

【特别提示】

1. Word 能够根据文档大纲自动生成目录。因此，当需要为文档创建目录时，必须先创建文档的大纲结构。

2. 大纲由各级标题组成。1 级标题是顶层标题，2 级标题是 1 级标题的子项，3 级标题是

2 级标题的子项……一般创建 3 级标题。

3. 创建文档大纲：单击“视图”选项卡的“大纲视图”图标，打开如图 2 - 35 所示的“大纲”视图选项卡。在该视图左侧中部有四个按钮和一个下拉列表，可以用于设置正文或标题级别。

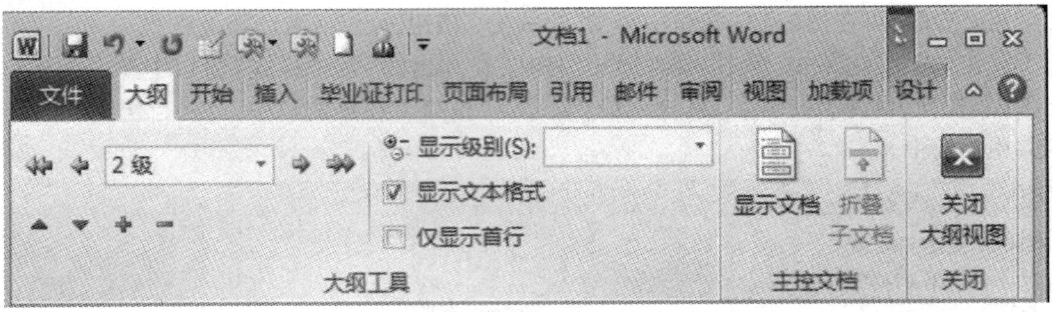

图 2 - 35 “大纲”视图

4. 生成目录：创建文档大纲后，即可利用“引用”选项卡的“目录”→“插入目录”命令生成文档目录。

5. 创建文档目录后，仍然可以修改文档的大纲结构，这时目录不会自动更新。如果需要更新目录，可以在目录区域右击鼠标，再单击弹出菜单的“更新域(U)”命令，在弹出的如图 2 - 36 所示的对话框中有以下两个选项：

(1) 只更新页码。如果未修改文档的大纲结构，只是修改了某些标题下的正文内容，则可选择该项。

(2) 更新整个目录。如果修改了文档的大纲结构，则需选择该项。

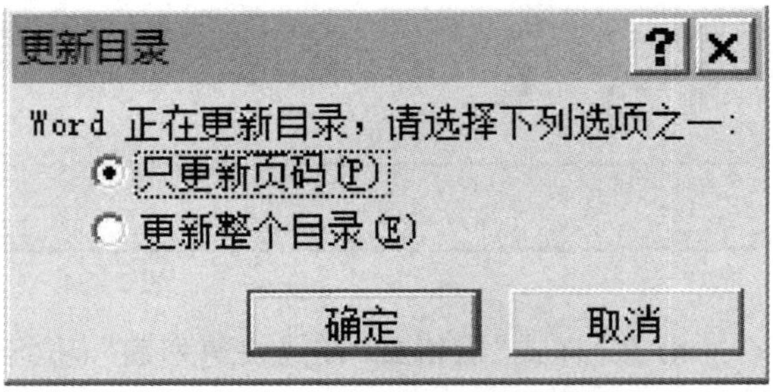

图 2 - 36 “更新目录”对话框

6. 在目录页中，按下【Ctrl】键后单击标题，可快速定位到标题相应的页面。

7. 必要时，可利用“插入”选项卡“页”组中的“封面”命令插入封面。

8. 文档的目录页一般是文档的前几页，且不显示页码。因此，目录页需单独作一节，不设置页眉和页脚，而其他节可根据需要定制页眉和页脚。设置要领如下：

(1) 目录页与正文部分分页显示。

①将插入点定位到目录尾。

②按【Ctrl + Enter】组合键插入一个分页符。

(2) 目录页与正文部分分节。

①将插入点定位到正文的开始位置。

②单击“页面布局”选项卡。

③单击“页面设置”组的“分隔符”命令。

④在弹出的菜单项中单击“分节符”类型下的“连续”命令(表示在当前页开始新节)。

(3) 在页脚区插入页码。

①单击“插入”选项卡。

②单击“页眉和页脚”组的“页码”命令。

③单击弹出菜单中的“页面底端”的第一个列表项(“简单 - 普通数字 1”)。

(4)删除两节页脚之间的关联(否则两者页脚格式会相同)。

①将插入点定位到第二节页脚区。

②单击“页眉和页脚工具 设计”选项卡。

③单击“导航”组的“链接到前一条页眉”命令,如图 2 - 37 所示,单击后该命令的背景色应该变灰。

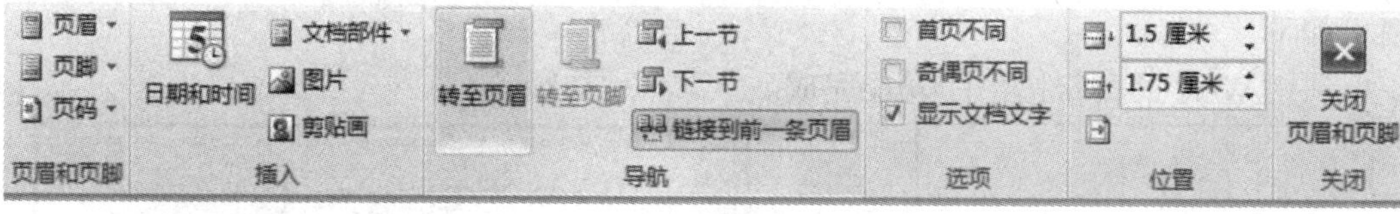

图 2 - 37　“导航”组

(5)设置正文部分(第二节)页脚格式。

①右击第二节页脚区的页码。

②单击弹出菜单的“设置页码格式(F)...”命令。

③选择“起始页码(A):”。

④在右侧输入框内输入:1。

⑤单击“确定”按钮。

(6)删除第一节页脚区插入的页码。

任务 3:文档审阅

【任务描述】

1. 有一份新产品开发计划书(Word 文档),应用 Word 的审阅功能对其进行修改或根据文档内容提出相关建议。

2. 一份新产品开发计划书(Word 文档),主管已经修改并提出了一些建议,利用 Word 的审阅功能最终对文档定稿。

【特别提示】

1. 在如图 2 - 38 所示的“审阅”选项卡中,单击“修订”组的“修订”图标,即可进入修订状态(再次单击退出修订状态)。进入修订状态后,对文档的修改会加上各类标记。标记方法可单击“修订”组的“修订”→“修订选项”后在弹出的窗口中查看或修改设置。

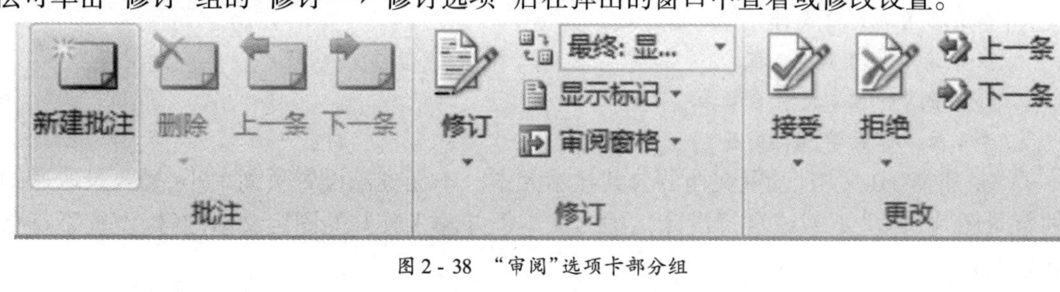

图 2 - 38　“审阅”选项卡部分组

2. 利用批注,可以对部分文本不做修改,仅提出建议或说明。可利用“审阅”选项卡“批注”组的相关命令(参考图 2 - 38)新建或删除批注。

3. 对修订后的文档,可利用“审阅”选项卡“更改”组的相关命令(参考图 2 - 38)接受或拒绝修订。

任务 4：邮件合并

【任务描述】

如图 2 - 39 所示，是某中学部分学生的录取信息。请参考图 2 - 40 制作录取通知书，具体要求如下：

1. 利用 Word 的“邮件合并”功能完成。

姓名	录取学校	专业
刘小壮	北京邮电大学	自动化
李玉海	香港大学	会计
张青	清华大学	软件工程
孙贵平	华中理工大学	金融学
李深永	北京大学	国际商务

图 2 - 39 录取信息

图 2 - 40 录取通知书样图

2. 如图 2 - 40 所示，带下划线的文字部分是插入合并域后自动生成的，其余文字直接输入。邮件合并后的文档页面大小：宽度 21 厘米，高度 15 厘米。

【特别提示】

1. 利用“邮件合并”功能，可以批量制作名片卡、学生成绩单、信件封面以及请帖等内容相同的文档。具体操作要领如下：

(1) 创建数据源。数据源由记录组成(如图 2 - 39 所示，每名学生对应一条记录)。通过邮件合并，每条记录可生成如图 2 - 40 所示的文档(为文档单独一节)。

(2) 支持的数据源种类繁多，以文本文件最为简洁。

本任务数据源：创建文件 D:\录取信息 . txt，内容如下(标点均为半角逗号)：

```
姓名,录取学校,专业
刘小壮,北京邮电大学,自动化
李玉海,香港大学,会计
张青,清华大学,软件工程
孙贵平,华中理工大学,金融学
李深永,北京大学,国际商务
```

(3) 新建 Word 文档，设置文档的公共显示元素。本任务需设置页面大小、插入录取通知书的背景图片(网上下载或自行设计)、插入文本框并输入公共的固定文本内容、设置字符格式和段落格式等。

(4) 单击“邮件”选项卡“开始邮件合并”→“邮件合并分步向导(W)...”命令，在 Word 应用程序窗口的右侧会显示如图 2 - 41 所示的“邮件合并”窗口。在该窗口中选择“信函”选项后单击“下一步：正在启动文档”。

(5)在“邮件合并”窗口选择“选择当前文档”后单击“下一步:选取收件人”。

(6)在“邮件合并”窗口选择“使用现有列表”后单击“浏览…”,在弹出的窗口中选择数据源(本任务需选择 D:\录取信息.txt),再单击“下一步:撰写信函”。(选择文件后,会弹出两个对话框,单击“确定”按钮将其关闭即可。)

注意:第二个对话框中需选择全部选项。

(7)插入合并域。本任务需插入三个合并域:在“同学”文本前插入“姓名”域;在“学校”之后插入“录取学校”域和“专业”域。单击“邮件”选项卡“插入合并域”列表中的相应项。插入完成后单击“下一步:预览信函”,再单击“下一步:完成合并”。

(8)在“邮件合并”窗口中单击“编辑单个信函…”,在弹出的窗口中选择“全部”后单击“确定”按钮。

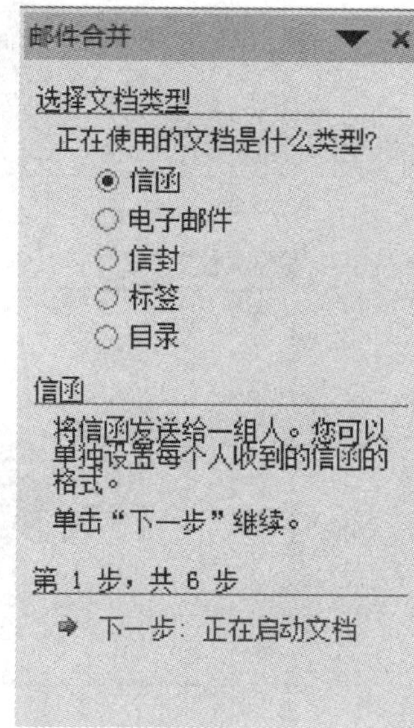

图 2-41　邮件合并窗口

(9)稍候片刻,Word 自动创建一个新文档,其中包括根据数据源的每条记录生成的全部信函(一份信函为文档的一节)。保存或打印该文档即可。

2. 如果需要在每份信函中显示每条记录相关的照片,则需作如下处理:

(1)数据源中新增“照片”字段,保存照片文件名称(含路径,路径分隔符需使用双斜扛。如果编辑信函的文档与照片在同一个文件夹,则只需文件名,可以省略路径)。

(2)将插入点移到信函中需要显示照片的位置,按【Ctrl + F9】组合键,这时会显示一对大括号。

注意:一对大括号是域代码标识符,不能直接从键盘输入。

(3)在一对大括号中输入“INCLUDEPICTURE ”。

注意:最后是一个空格。

(4)将插入点移到一对大括号的最后(空格之后),再插入“照片”域。

(5)按【F9】键刷新,按【Shift + F9】组合键切换域代码,即可显示照片。

3. 在“邮件”选项卡的“编写和插入域”组,如图 2-42 所示,单击“规则”命令,可弹出规则列表。主要规则有以下几种:

图 2-42　“编写和插入域”组

(1)“如果…那么…否则(I)...”:根据设置条件修改插入域的显示内容。例如,数据源含“性别”字段(值为“男”或“女”)。如果要求生成信函时,“性别”为“男”均尊称“先生”,“性别”为“女”均尊称“女士”,则可按以下方法插入规则域:

①将插入点定位到开始文档需插入规则域的位置。

②单击“规则”命令。

③单击弹出菜单的“如果…那么…否则(I)...”命令。

④在打开的窗口中设置替换规则(如图 2-43 所示)后单击“确定”按钮。

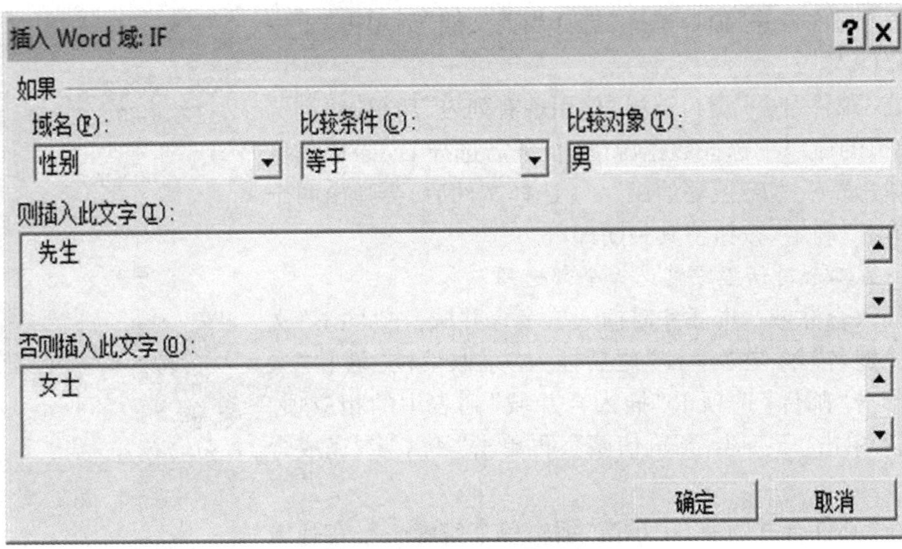

图 2-43 “插入 Word 域:IF”窗口

(2)“下一记录条件(X)...”:根据设置条件生成信函。不满足此条件的记录不会生成信函。

(3)“跳过记录条件(S)...”:根据设置条件生成信函。满足此条件的记录不会生成信函。

(4)“合并记录#(R)”:对生成的信函编号。未生成信函的记录也参与编号。

(5)“合并序列#(Q)”:对生成的信函编号。未生成信函的记录不参与编号。

任务5:文档保护

【任务描述】

创建 D:\TZ5. docx 文档并设置以下三重保护:

1. 需要第一重保护密码才能打开该文档。
2. 没有第二重密码,只能以“只读”方式打开文档。
3. 没有第三重密码,无法进行编辑修改,也不能复制文件内容。

【特别提示】

1. 单击“文件”选项卡“信息”→“保护文档”→“用密码进行加密(E)”命令,可设置打开文档的密码。

2. 在保存文件的对话框中,单击“工具(L)”按钮,再单击弹出菜单的“常规选项(G)...”命令,在弹出的“常规选项”窗口中可以设置文件的打开密码和修改密码。

3. 单击“文件”选项卡“信息”→“保护文档”→“限制编辑(D)”命令(或单击“审阅”选项卡“保护”组的“限制编辑”命令),在打开如图 2-44 所示的窗口中进行如下操作:

(1)选择“限制对选定的样式设置格式”选项,再单击“设置…”,可以禁止对特定样式的修改。

(2)选择“仅允许在文档中进行此类型的编辑:”后,在其下方的下拉列表中选择“填写窗体”,则可禁止用户对文档内容的修改,用户也不能复制文档内容。

(3)设置完成后,单击图 2-44 中的“是,启动强制保护”按钮,可输入保护密码,只有凭此密码才能解除强制保护。

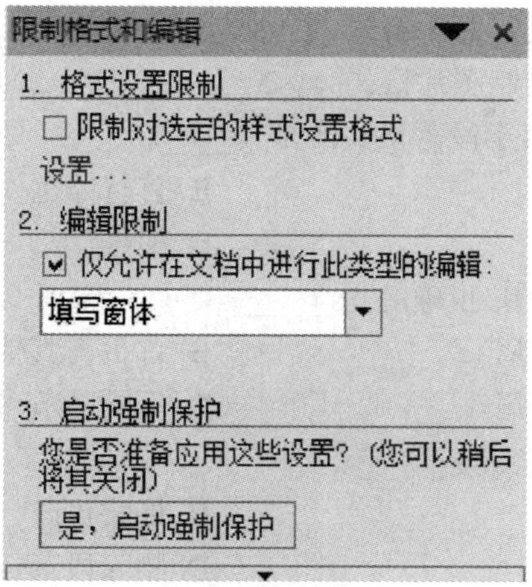

图 2-44　限制编辑窗口

思考题

一、选择题

1. 编辑 Word 文档时,按【BackSpace】键的作用是删除______。

A. 选择的文本　　B. 插入点之前的一个字符

C. 选择的图片　　D. 插入点之后的一个字符

2. 下面有关 Word 快捷键的说法中,正确的是______。

A.【Ctrl + Home】:将插入点移到文档开始位置

B.【Shift + Enter】:插入一个换行符,另起段落

C.【Ctrl + >】:增大字号;【Ctrl + <】:减小字号

D.【Ctrl + H】:打开替换对话框

3. 将选择的字符设置为上标的方法是______。

A. 按【Ctrl + =】组合键　　B. 按【Ctrl + Shift + =】组合键

C. 按【Ctrl + Alt + =】组合键　　D. 按组合键【Ctrl + +】(不在数字键盘区)

4. 下面给出的操作方法中,能够选择一个段落的是______。

A. 三击段落任意位置

B. 双击段落左侧的选择栏

C. 将插入点移到段落开始位置后,按【Ctrl + A】组合键

D. 在段落左侧的选择栏拖动鼠标

5. 将某段落设置为两端对齐后,最后一行______。

A. 左对齐　　B. 右对齐

C. 居中对齐　　D. 左、右均对齐

6. 下面有关"格式刷"的说法中,正确的是______。

A. 单击"格式刷"后,只能复制一次格式

B. 双击“格式刷”后,可以复制多次格式

C. 利用“格式刷”既可复制字符格式,也可复制段落格式

D. 利用“格式刷”可以复制图片格式

7. 下面给出的格式中,属于段落格式的是______。

A. 分散对齐　　B. 首行缩进

C. 项目符号　　D. 编号

8. 下面有关页眉的说法中,正确的是______。

A. 文档首页可不显示页眉　　B. 首页与其他页可以有不同的页眉

C. 奇偶页可有不同的页眉　　D. 不同的节可以有不同的页眉

9. 利用“替换”功能可以实现______。

A. 字符删除　　B. 格式更改

C. 字符替换　　D. 删除段落标记

10. 设置图片水印的图片格式可以是______。

A. *. jpg　　B. *. png

C. *. gif　　D. *. swf

11. 下面给出的操作中,只能用于图片,不能用于形状的是______。

A. 存为图片　　B. 添加文字

C. 设置阴影　　D. 裁剪

12. 环绕方式为______的图片不能与形状组合。

A. 四周型　　B. 紧密型

C. 上下型　　D. 嵌入型

13. 可使用“绘图工具”设置格式的对象有______。

A. 艺术字　　B. 图片

C. 文本框　　D. 形状

14. Word 文档中插入的图片可以进行的操作是______。

A. 缩放　　B. 旋转

C. 水平翻转　　D. 垂直翻转

15. 下面给出的选项中,属于形状填充类型的是______。

A. 纯色填充　　B. 渐变填充

C. 图案填充　　D. 图片填充

16. 利用“绘图工具”的______命令可将艺术字设置为“上弯弧”型。

A. 文本效果　　B. 文本轮廓

C. 文字方向　　D. 编辑形状

17. 文本转换为表格时,文本必须满足的条件是______。

A. 每行的数据量相同　　B. 每列的数据量相同

C. 数据间的分隔符相同　　D. 数据间的分隔符不能使用中文标点

18. 下面描述的 Word 表格中,能够转换为文本的是______。

A. 不规则表格　　B. 含图片的表格

C. 含表格的表格　　D. Excel 表格

19. 属于“图片效果”的是______。

A. 发光
B. 映像
C. 柔化边缘
D. 三维旋转

20. 下面有关图片裁剪的说法中正确的是______。
A. 图片裁剪后 Word 文档的大小并未发生变化
B. 图片可以裁剪为各种形状
C. 裁剪后的图片通过再裁剪可恢复原样
D. 将裁剪后的图片另存为图片文件时保存的仍然是裁剪前的图片

21. 在“大纲视图”中可进行的操作是______。
A. 编辑图片
B. 提升标题
C. 插入目录
D. 折叠项目

22. Word 文档的大纲级别共有______级。
A. 3
B. 4
C. 8
D. 9

23. 下面有关“节”的描述中正确的是______。
A. 新建文档时,整个文档视为一节
B. 不同节的文档可设置不同的页眉
C. 利用“插入”面板的“分隔符”命令可在文档中插入分节符
D. 插入分节符时可在同一页开始新节

24. 在文档的同一节中可设置______。
A. 奇偶页有不同的页眉
B. 首页有不同的页眉
C. 奇偶页有不同的页脚
D. 首页有不同的页脚

25. 段落缩进的方式有______。
A. 首行缩进
B. 左缩进
C. 右缩进
D. 悬挂缩进

26. “开始”选项卡的“段落”组中不包括的命令是______。
A. 多级列表
B. 字符边框
C. 分散对齐
D. 文本效果

27. 在 Word 文档中插入目录时,默认的显示级别是______。
A. 3
B. 4
C. 5
D. 6

28. 创建目录后,按下______键并单击目录项可以跳转到相应页。
A. Alt
B. Ctrl
C. Shift
D. Esc

29. 对选择的文本进行分栏时,可利用“分栏”对话框设置______。
A. 栏宽相等
B. 栏数
C. 每栏宽度
D. 显示分隔线

30. 下面给出的选项中,属于 Word 保护文档操作的是______。
A. 标记为最终状态
B. 用密码进行加密
C. 添加数字签名
D. 限制编辑

二、填空题

1. 在 Word 文档中插入图片的默认文字环绕方式为______，插入形状的默认文字环绕方式为____________。

2.【Ctrl + Shift + =】组合键的作用是______；【Shift + Enter】组合键的作用是______。

3. 在______模式下输入的文本将覆盖插入点之后的文本。

4. 在选择栏快速三击鼠标左键的作用是____。

5. 双击格式刷的作用是____。

6. 段落的缩进方式包括左缩进、右缩进、______和______。

7. 段落的对齐方式有：左对齐、右对齐、居中对齐、______和______。

8. 按下【Ctrl】键后拖动形状的角控制点，其作用是______________________________。

9. 分节符的作用是____。

10. 在 Word 表格中使用公式计算单元格数据时，公式中引用的单元格数据发生了改变，公式的计算结果是不会自动更新的。如果需要更新公式的计算结果，可以选择使用了公式的单元格区域，然后按______键。

三、操作题

参考图 2 - 45 设计一张证书。要求如下：

图 2 - 45　证书样图

（1）纸张：宽度 148mm，高度 100mm。

（2）利用 Word 提供的功能完成图章的设计。

（3）图片作页面背景，图片可自行设计或从网络下载。

（4）保存为 Word 模板。

（5）利用上面的模板创建一个新文档，并根据数据表的每条记录分别生成证书。数据表字段包括：姓名、获奖名次。

第三章　Excel 2010 表格处理

第一节　验证性实验

任务 1:工作表基本操作

【任务描述】

新建 D:\RW1. xlsx 工作簿,完成以下操作:

1. 删除 Sheet2、Sheet3 工作表,将 Sheet1 工作表更名为"SYR1"。

2. 将第一行前五个单元格合并后输入:"验证性实验:任务 1"。

3. 设置第一行行高 22 磅、第一列列宽 8 磅。

4. 在 A2:A9 区域输入首项为 1、公差为 3 的等差数列的前 8 项。

5. 在 B2:B9 区域输入首项为 1、公比为 2 的等比数列的前 8 项。

【操作步骤】

1. 工作表的删除与更名。

(1)在 Excel 应用程序窗口的左下角(工作表标签区),右击"Sheet2"。

(2)单击弹出菜单的"删除(D)"命令,即可删除工作表 Sheet2。类似操作可删除工作表 Sheet3。

(3)在 Excel 应用程序窗口的左下角,右击"Sheet1"。

(4)单击弹出菜单的"重命名(R)"命令。

(5)这时"Sheet1"处于被选择状态(背景黑色),输入:SYR1。

2. 合并单元格区域。

(1)选择单元格区域 A1:E1。

(2)单击"开始"选项卡"对齐方式"组的"合并后居中"命令。

(3)输入文本"验证性实验:任务 1"。

3. 设置行高。

(1)右击第一行的行标签(窗口最左一列)。

(2)单击弹出菜单的"行高"命令。

(3)在弹出的"行高"窗口中输入行高的设置值:22。

4. 设置列宽。

(1)右击第一列的列标签(工作表区域第一行的上方)。

(2)单击弹出菜单的"列宽"命令。

(3)在弹出的"列宽"窗口中输入列宽的设置值:8。

5. 在 A2:A9 区域输入等差数列前 8 项。

(1)先输入数列前两项:在 A2 单元格内输入 1,A3 单元格输入 4。

(2)选择 A2、A3 单元格。

(3)向下拖其填充柄至 A9 单元格。

6. 在 B2:B9 区域输入等比数列前 8 项。

(1)先输入数列前两项:在 B2 单元格内输入 1,B3 单元格输入 2。

(2)选择 B2、B3 单元格。

(3)按下鼠标右键并向下拖其填充柄至 B9 单元格后松开鼠标。

(4)在弹出的菜单中选择“等比序列”。

【特别提示】

1. 打开 Excel 应用程序时,默认创建一个工作簿(有三个工作表)。可根据应用需要添加或删除工作表。一个工作簿至少需要一个工作表,最多 255 个工作表。一个工作表最多 1048576 行、16384 列。

2. 在 Excel 应用程序窗口的左下角,右击任何一个工作表的表名,会弹出一个快捷菜单,其中菜单命令主要有:

(1)插入。执行该命令可弹出“插入”对话框。在如图 3 - 1 所示的“常用”选项卡中,可选择插入的表类型。在如图 3 - 2 所示的“电子表格方案”选项卡中,可选择工作表模板创建新的工作表。

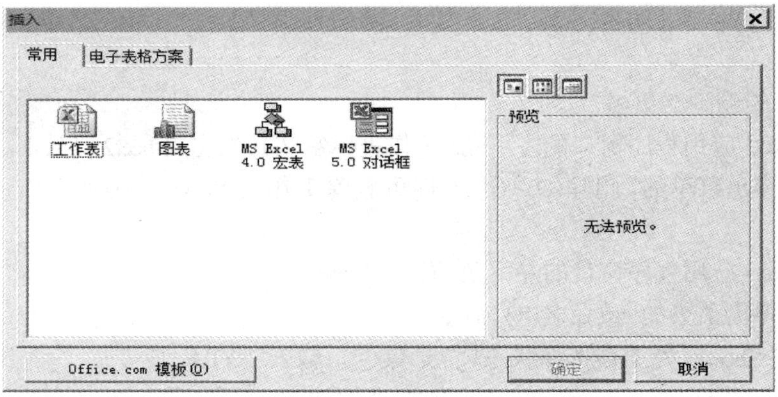

图 3 - 1 “插入”对话框“常用”选项卡

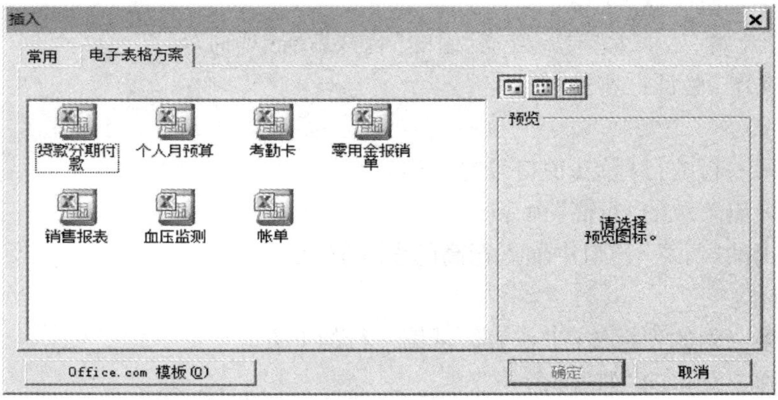

图 3 - 2 “电子表格方案”选项卡

(2)删除。单击可删除选择的工作表。

(3)重命名。为工作表更名。

(4)移动或复制。单击该命令可弹出如图3-3所示的“移动或复制工作表”窗口。在该窗口中,可以设置将工作表移动或复制到某个工作簿(从“工作簿”下拉列表中选择。所有打开的工作簿均会显示在列表中)、移动或复制到某个工作表之前、是移动还是复制工作表(取消选择或选择“建立副本”)。

(5)隐藏。隐藏工作表。

(6)取消隐藏。显示被隐藏的工作表。

(7)查看代码。单击该命令可打开 VBA 编辑器,用于浏览或编写 VBA 代码。

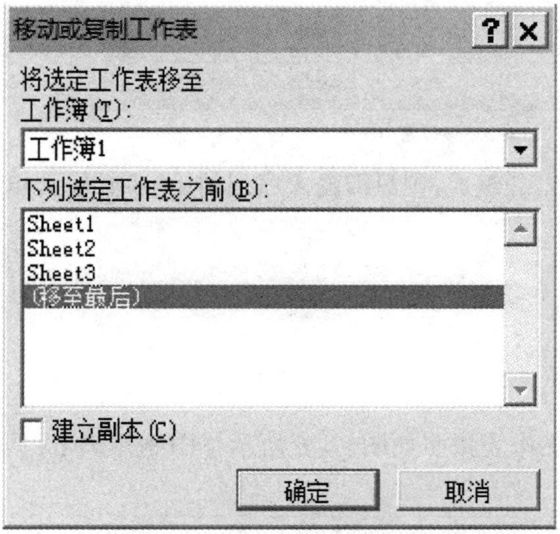

图3-3　“移动或复制工作表”窗口

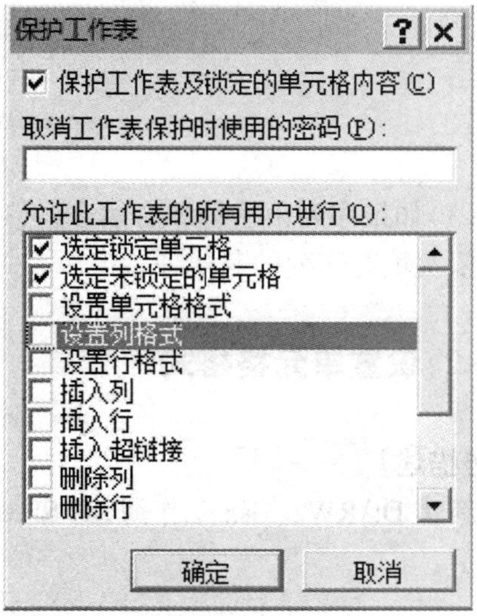

图3-4　“保护工作表”窗口

(8)工作表标签颜色。设置工作表标签的背景颜色。

(9)保护工作表。单击该命令可打开如图3-4所示的“保护工作表”窗口。在该窗口中,可以设置取消保护的密码、允许进行的操作等。

(10)选定全部工作表。选定可再次右击,一次性修改所有工作表的标签颜色、全部移动或复制等。

3. 在“普通视图”(这是 Excel 的默认视图)下,行高的单位是磅。在“页面布局”视图下,行高的单位是厘米。

4. 除等差序列和等比序列外,Excel 还预定义了其他很多序列。单击“文件”选项卡的“选项”命令(窗口左侧由下向上第二个选项),可弹出“Excel 选项”窗口。在该窗口中,单击“高级”(窗口左侧由上向下第六个列表项),再在窗口右侧单击“编辑自定义列表”按钮,可弹出如图3-5所示的“自定义序列”窗口。在该窗口中可进行如下操作:

(1)左侧为 Excel 预定义的序列列表。在工作表中输入某一序列的任意项,拖动填充柄即可自动填充序列的其他项。例如,在 A1 单元格内输入“星期三”,然后向下拖动 A1 的填充柄,则 A2 单元格会自动填充为“星期四”,A3 单元格会自动填充为“星期五”……

(2)在“输入序列”下方的输入框中也可输入用户想创建的序列(各项之间使用半角逗号或回车符分隔),序列输入完成后单击“添加”按钮,即可将刚创建的序列添加到自定义序列列表中,此后,即可使用创建的序列进行自动填充。

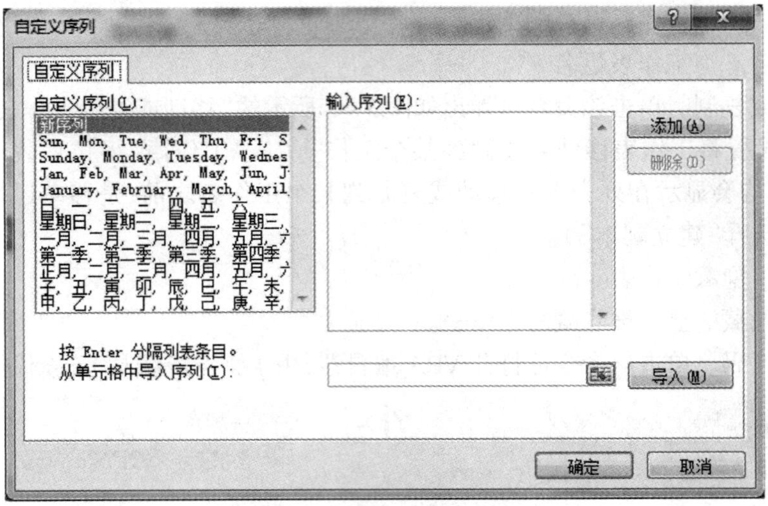

图 3-5 “自定义序列”窗口

(3)如果序列由字符和自然序列(1,2,3,...)组成,则只需输入序列的第一项,拖动填充柄即可依次填充序列的其他项。

任务 2:设置单元格格式

【任务描述】

新建 D:\RW2. xlsx 工作簿,对 Sheet1 工作表按照如图 3-6 所示样图制作表格,具体要求如下:

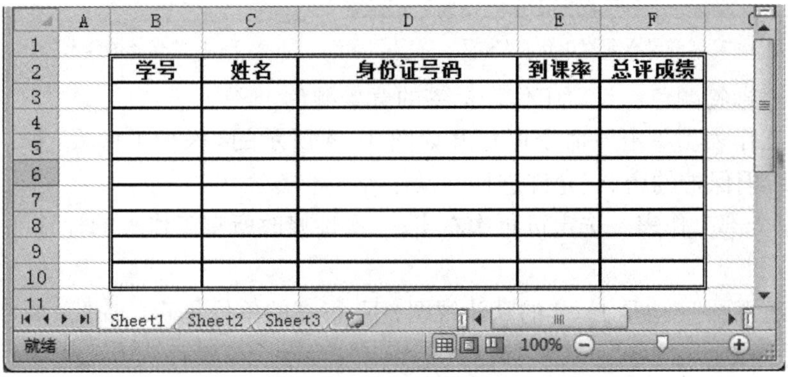

图 3-6 表格制作样图

1. D3:D10 单元格为“文本”格式,用于输入 18 位身份证号码。
2. E3:E10 区域能够自动添加符号“%”且显示两位小数。例如:输入 12.357,显示为 12.36%。
3. F3:F10 单元格为“数值”格式,小数点后四舍五入保留两位小数。
4. “总评成绩”小于 60 的,字体红色加粗;其余字体均为黑色,不加粗。
5. B2:F10 区域内部表格线为单实线,外框为双实线同,黑色。

【操作步骤】

1. 设置 D3:D10 单元格为“文本”格式。

(1)选择单元格区域 D3: D10。

(2)右击鼠标,再单击弹出菜单的“设置单元格格式(F)...”命令。

(3)在弹出的如图 3 - 7 所示的“设置单元格格式”窗口中单击“数字”选项卡。

(4)在“分类(C):”列表中选择“文本”。

(5)单击“确定”按钮。

2. 设置 E3: E10 区域能够自动添加符号“%”且显示两位小数。

(1)选择单元格区域 E3: E10。

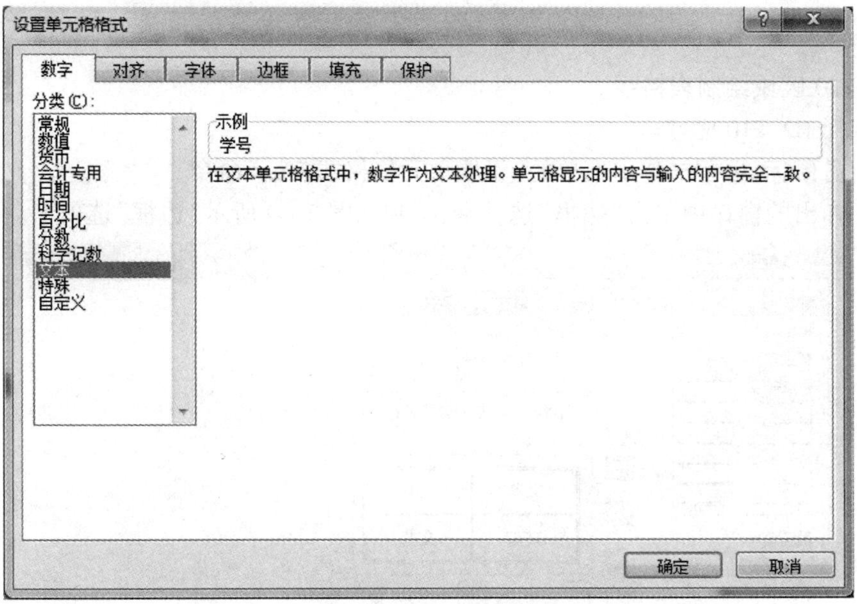

图 3 - 7 “设置单元格格式”窗口

(2)右击鼠标,再单击弹出菜单的“设置单元格格式(F)...”命令。

(3)在弹出的如图 3 - 7 所示的窗口中单击“数字”选项卡。

(4)在“分类(C):”列表中单击“百分比”。

(5)在窗口右侧输入小数位数:2。

(6)单击“确定”按钮。

3. 设置 F3: F10 单元格为“数值”格式,小数点后四舍五入保留两位输出。

(1)选择单元格区域 F3: F10。

(2)右击鼠标,再单击弹出菜单的“设置单元格格式(F)...”命令。

(3)在弹出的如图 3 - 7 所示的窗口中单击“数字”选项卡。

(4)在“分类(C):”列表中单击“数值”。

(5)在窗口右侧输入小数位数:2。

(6)单击“确定”按钮。

4. “总评成绩”列设置条件格式。

(1)选择 F3:F10 区域。

(2)单击“开始”选项卡。

(3)单击“样式”组的“条件格式”命令。

(4)在弹出的菜单中单击“突出显示单元格规则(H)”→“小于(L)...”命令。

(5)在弹出的如图 3 - 8 所示的“小于”对话框中的左侧输入框内输入“60”,在“设置为”右侧的下拉列表中单击“自定义格式…”,在弹出的窗口中设置红色加粗后单击“确定”按钮关闭所有窗口。

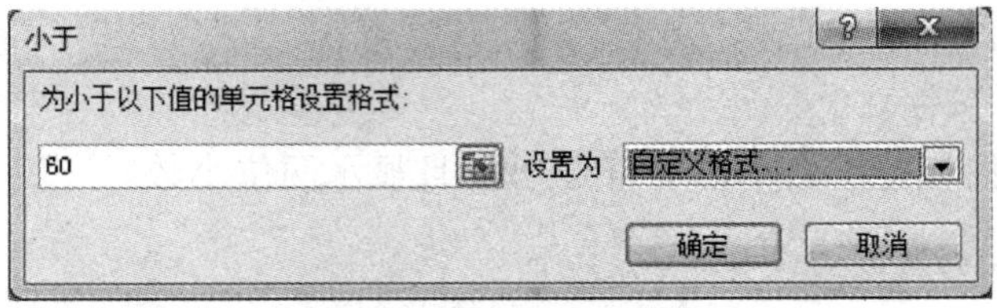

图 3 - 8 “小于”对话框

5. B2:F10 区域绘制表格线。

(1)选择 B2: F10 区域。

(2)右击鼠标,再单击弹出菜单的“设置单元格格式(F)...”命令。

(3)在弹出的窗口中单击“边框”选项卡,得到如图 3 - 9 所示“边框”选项卡。

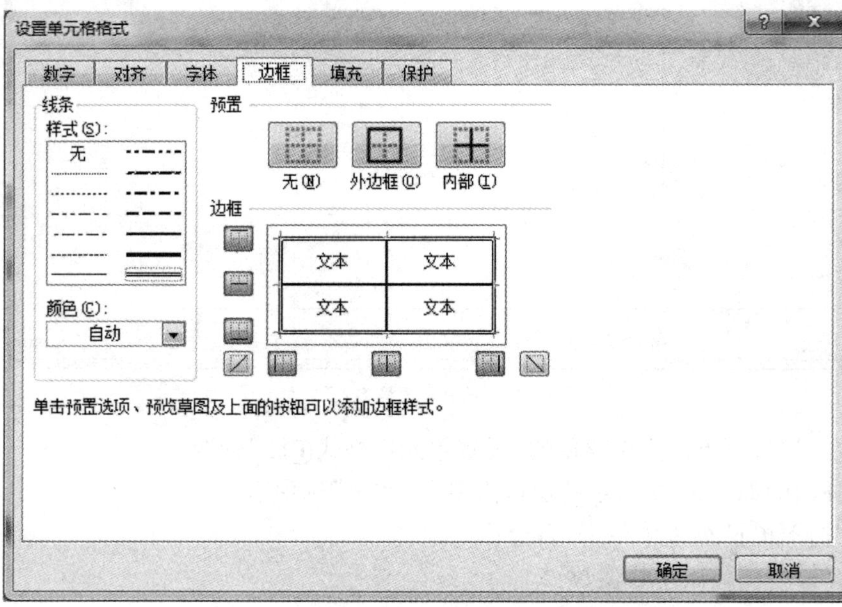

图 3 - 9 “边框”选项卡

(4)选择线条样式:双实线(第二列最后一个)。

(5)单击“颜色(C):”下方的下拉按钮,单击黑色色块。

(6)单击右侧“外边框(O)”。

(7)选择线条样式:单实线(第一列最后一个)。

(8)单击“颜色(C):”下方的下拉按钮,单击黑色色块。

(9)单击右侧“内部(I)”。

(10)单击“确定”按钮。

【特别提示】

1. 除设置单元格格式为文本格式外,也可通过以下方法以文本方式输入数据:

(1)先输入半角符号'(单引号),再输入数据。

(2)输入公式: ="…"(双引号内为输入数据)。

2. 在“条件格式”中，预置了以下五个格式规则：

（1）突出显示单元格规则：用于对数据在一定范围内的单元格设置格式。

（2）项目选取规则：主要针对最大（小）值或平均值，取前若干值或按比例取值的单元格设置格式。

（3）数据条：显示渐变的或实心填充的数据条，其长度越长，表明数据越大。

（4）色阶：显示双色或三色渐变。颜色的变化体现数据的大小。

（5）图标集：显示图标，图标不同，则表明数据不同。

3. 如果预置的五个格式规则无法满足设计要求，还可以通过“条件格式”弹出菜单的“新建格式规则(N)...”命令，弹出窗口如图 3 - 10 所示，创建更加灵活的条件格式规则。规则类型有以下六种：

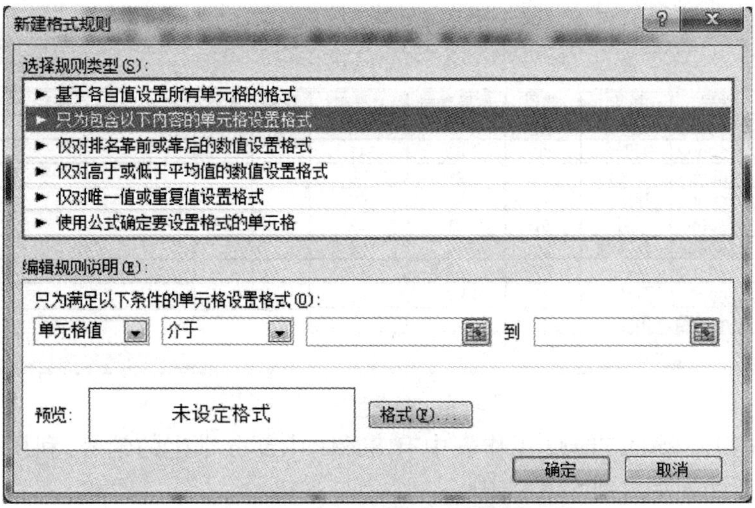

图 3 - 10　“新建格式规则”对话框

（1）基于各自值设置所有单元格的格式：为“数据条”“色阶”和“图标集”三个预置格式规则提供更加灵活和个性化设置。

（2）只为包含以下内容的单元格设置格式：相当于“突出显示单元格规则”，但设置更加灵活方便。

（3）仅对排名靠前或靠后的数值设置格式：主要针对“项目选取规则”的最大、最小值设置条件格式。

（4）仅对高于或低于平均值的数值设置格式：主要针对“项目选取规则”的平均值设置条件格式。

（5）仅对唯一值或重复值设置格式：与“突出显示单元格规则”中的“重复值”相同。

（6）使用公式确定设置格式的单元格：通过输入公式（值为逻辑值）的值来确定格式。本任务中，也可利用公式“ = G3 <60”实现。在公式中一般需要输入选择区域的第一个单元格的地址（相对引用）。

4. 应用已有单元格的格式有以下几种方法：

（1）利用“复制”命令。复制单元格后，选择需要设置相同格式的单元格区域右击鼠标，在弹出的菜单中单击“粘贴选项”列表中的“格式”选项。

（2）利用格式刷。先单击已设置格式的单元格，单击“开始”选项卡“剪贴板”组的“格式刷”，再在需设置相同格式的单元格区域拖动鼠标。如果需要多次“刷”格式，则需双击“格式刷”。

(3)新建单元格样式。在“开始”选项卡“样式”组,单击“单元格样式”,再单击弹出菜单的“新建单元格样式(N)...”命令可创建单元格样式。创建单元格样式后,再对选择的单元格区域应用单元格样式即可。

任务3:公式应用

【任务描述】

1. 新建 D:\RW3. xlsx 工作簿,对 Sheet1 工作表按照如图 3 - 11 所示样图制作表格,要求利用公式计算:总评(四舍五入保留小数点后两位小数)、名次、各门课程不及格的人数,并得到每个学生的补考课程信息。

学号	姓名	英语	高等数学	C语言	总评	名次	补考课程
20160001	张应杰	84	60	92			
20160002	刘四会	70	83	41			
20160003	李大为	92	46	56			
20160004	孙比月	41	71	52			
20160005	胡齐	51	91	92			
20160006	赵飞雄	81	48	55			
20160007	易宜	57	83	43			
20160008	万路达	73	87	40			
不及格人数:							

图 3 - 11 任务 3 工作表样图

2. 假定上述工作簿的 Sheet2 工作表中有 Sheet1 中部分学生的学号,利用公式将相应学生的姓名和补考课程导入到 Sheet2 中。

【操作步骤】

1. 计算总评。

(1)在 G3 单元格输入公式:=ROUND(AVERAGE(D3:F3),2)。

(2)拖 G3 单元格的填充柄至 G10 单元格。

2. 计算名次。

(1)在 H3 单元格输入公式:=RANK(H3, $ H $ 3: $ H $ 10)。

(2)拖 H3 单元格的填充柄至 H10 单元格。

3. 统计各课程不及格人数。

(1)在 D11 单元格输入公式:=COUNTIF(D3:D10,"<60")。

(2)拖 D11 单元格的填充柄至 F11 单元格。

4. 列出每个学生的补考课程。

(1)在 I3 单元格输入下面的公式:

=TRIM(IF(D3<60,D $ 2,"")&" "&IF(E3<60,E $ 2,"")&" "&IF(F3<60,F $ 2,""))。

(2)拖 I3 单元格的填充柄至 I10 单元格。

5. 假定 Sheet2 工作表的 A1、B1、C1 单元格的内容分别为学号、姓名、补考课程,从第二行开始,A 列是部分学生的学号。要将相应学生的姓名和补考课程导入到 Sheet2 中,可按以下步骤进行:

（1）在 Sheet2 的 B2 单元格输入公式：

=VLOOKUP(A2,Sheet1! $B$3:$C$10,2,FALSE)

（2）在 Sheet2 的 C2 单元格输入公式：

=VLOOKUP(A2,(Sheet1! $B$3:$I$10),8,FALSE)

（3）选择 B2、C2 两个单元格，拖其填充柄至最后一个学号所在行。

【特别提示】

1. 在单元格内输入的公式必须以半角符号“=”（等于）开头。

2. 公式中的函数名称不区分大小。

3. 公式中使用的标点符号（如逗号、双引号、圆括号）均为半角符号，需要在英文输入状态输入。

4. 公式中可以引用单元格地址。引用的方式有以下三种：

（1）相对引用。单元格地址使用“CR”格式。如：A3、H14。

（2）绝对引用。单元格地址使用“CR”格式。如：$A$3、$H$14。

（3）混合引用。单元格地址使用“$CR”或“C$R”格式。如：$A1、B$3。

可以把符号“$”想象为一把锁。行号、列标可以分别上锁或不上锁。上锁的目的是为了控制拖动填充柄时复制公式，具体方法如下：

（1）上下拖动填充柄时，当前单元格的公式会复制到新的单元格，且公式中未上锁的行号会相应变化，列标无论上锁与否，均不变。假定 B1 单元格的公式是“=A1+5”，将 B1 单元格的填充柄拖到 B2 单元格，则 B2 单元格的公式为“=A2+5”。如果 B1 单元格的公式是“=A$1+5”，将 B1 单元格的填充柄拖到 B2 单元格，则 B2 单元格的公式为“=A$1+5”。

（2）左右拖动填充柄时，当前单元格的公式会复制到新的单元格，且公式中未上锁的列标会相应变化，行号无论上锁与否，均不变。假定 B1 单元格的公式是“=A1+5”，将 B1 单元格的填充柄拖到 C1 单元格，则 C1 单元格的公式为“=B1+5”。如果 B1 单元格的公式是“=$A1+5”，将 B1 单元格的填充柄拖到 C1 单元格，则 C1 单元格的公式为“=$A1+5”。

5. ROUND(x,n)函数返回的是 x 四舍五入保留小数点后第 n 位的数值。

6. AVERAGE 函数用于计算平均值。

7. RANK(v,a,f)函数返回数值 v 在序列 a 中的次序。f=0 或省略，表示对序列 a 降序排序；f=1 表示对序列 a 升序排序。

8. COUNTIF(a,c)函数返回单元格区域 a 中满足条件 c 的单元格个数。当单元格区域的数据均为文本时，条件中可使用通配符“*”（表示任意个任意字符）和“?”（表示任意一个字符）。例如，COUNTIF(A1:A100,"*a*")返回值为单元格区域 A1:A100 中，数据含字符“a”的单元格个数。

（1）条件只能是单一条件。例如，A1 至 A100 的数据均为整数，如需统计值在【60,75】上的单元格个数，使用公式“=COUNTIF(A1:A100,">=60 and <=75")”是错误的，只能使用公式“=COUNTIF(A1:A100,">=60") - COUNTIF(A1:A100,">75")”。

（2）COUNTIFS 函数支持多条件统计。该函数参数可由若干组组成。每组的第一个参数是条件区域，第二个参数是条件。例如，上例中统计值在【60,75】上的单元格个数，可用公式“=COUNTIFS(D3:D10,">=60",D3:D10,"<=75")”实现。显然，各条件必须同时成立。

9. 当 a 为真时，IF(a,b,c)函数的返回值为 b；当 a 为假时，其返回值为 c。

10. TRIM 函数用于删除字符串中的空格。

11. VLOOKUP(a,b,c,d)函数在单元格区域 b 的第一列查找数据 a,并返回单元格区域 b 第 c 列对应的数据。d = False 表示精确匹配,d = True 表示模糊匹配。如果未找到匹配项,则返回“#N/A”值。使用 HLOOKUP 函数可以按行查找。

12. Excel 常用函数还有以下几种:

(1)SUM:求和。如:SUM(A1:A20)返回 A1 至 A20 单元格共 20 个数据的和。

(2)AVERAGEIF、AVERAGEIFS:条件均值。使用方法与 SUMIF、SUMIFS 相同。

(3)SUMIF:条件求和。如:SUMIF(A1:A4,">=60",B1:B4)对 B1 至 B4 四个单元格中,满足对应 A 列数据不小于 60 的单元格数据求和。注意,A1:A4 是条件区域,B1:B4 是求和区域。多条件时使用 SUMIFS 函数。

(4)MOD:求余。如:MOD(17,3)返回值为 2。

(5)AND、OR:逻辑与、逻辑或。

(6)COUNT:数值单元格计数。如:COUNT(A:A)返回 A 列中数值单元格的个数。

(7)INT:取整。如:INT(A1)返回不超过 A1 单元格数据的最大整数。

(8)RAND:产生【0,1)上的一个随机小数。如:INT(RAND()* 10)返回【0,9】上的一个随机整数。

任务 4:数据排序

【任务描述】

在图 3 - 11 给出的数据表中删除第 11 行后分别完成以下操作:

1. 按总评成绩降序排序。

2. 按姓名笔画升序排序。

3. 按总评成绩降序排序,如果总评成绩相同,则按英语成绩降序排序。

【操作步骤】

1. 删除第 11 行。

(1)右击第 11 行的行标。

(2)单击弹出菜单的“删除(D)”命令。

注意:选择行后如果按【Del】键,只是删除单元格的数据,并非删除行。

2. 按总评成绩降序排序。

(1)将插入点移到总评的数据区域。

(2)单击“数据”选项卡。

(3)单击“排序和筛选”组的“降序”命令图标。

3. 按姓名笔画升序排序。

(1)将插入点移到姓名数据区域。

(2)单击“数据”选项卡。

(3)单击“排序和筛选”组的“排序”命令,弹出如图 3 - 12 所示的“排序”对话框。

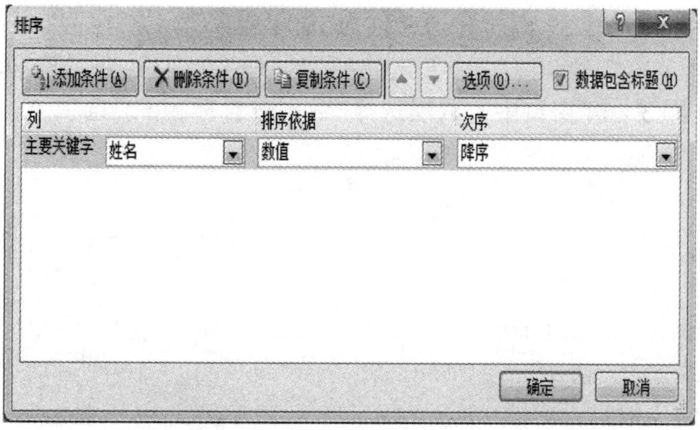

图 3 - 12　“排序”对话框

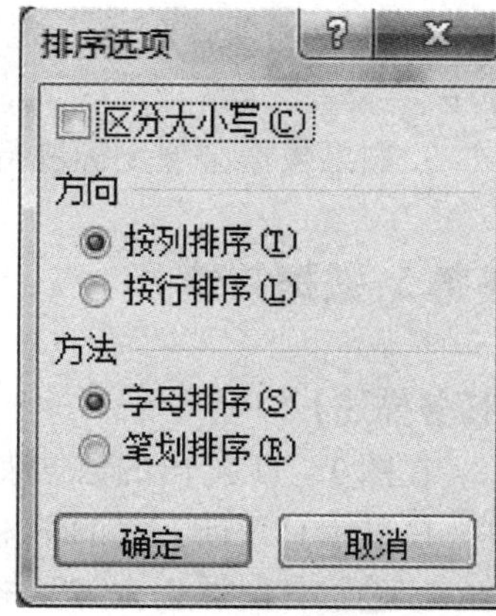

图 3 - 13　“排序选项”对话框

(4)在“排序”窗口中单击“选项(O)...”按钮。

(5)在弹出的如图 3 - 13 所示的“排序选项”对话框中选择“笔划排序”(R)。

(6)单击“确定”按钮关闭所有窗口。

4. 按总评成绩降序排序,如果总评成绩相同,则按英语成绩降序排序。

(1)将插入点移到总评的数据区域。

(2)单击“数据”选项卡。

(3)单击“排序和筛选”组的“排序”命令,弹出如图 3 - 14 所示的窗口。

图 3 - 14　总评排序

(4)“主要关键字”选择“总评”,“次序”选择“降序”。

(5)单击“添加条件(A)”。

(6)“次要关键字”选择“英语”,“次序”选择“降序”。

(7)单击“确定”按钮。

【特别提示】

1. 在“数据”选项卡的“排序和筛选”组有以下三个命令可以完成排序:

(1)升序。字符按字母顺序(默认,汉字按拼音)、数值按大小递增排序。

(2)降序。字符按字母顺序(默认,汉字按拼音)、数值按大小递减排序。

(3)排序。单击时弹出如图 3 - 14 所示的窗口,在该窗口中,“主要关键字”是确定排序位置的第一个字段。如果二条记录的第一字段数据相同,可以指定按“次要关键字”排序(单击“添加条件”后指定字段)。

2. 只有“主要关键字”，没有“次要关键字”的排序通常称为“简单排序”，否则称为“多重排序”。

3. 如果数据区域无标题行，在图 3 - 14 窗口中需取消选择“数据包含标题(H)”选项。

任务 5：数据筛选

【任务描述】

在图 3 - 11 给出的数据表中分别完成以下操作：

1. 显示总评前五名的学生信息。

2. 显示各门课程全部及格的学生信息。

【操作步骤】

1. 显示总评前五名的学生信息。

(1)将插入点定位到数据区域(B2: I10)后单击“数据”选项卡。

(2)单击“排序和筛选”组的“筛选”命令，这时数据表的每个字段的右侧会显示一个下拉按钮。

(3)单击“总评”右侧的下拉按钮。

(4)单击弹出菜单的“数字筛选(F)”→“10 个最大的值(T)...”命令。

(5)在弹出的如图 3 - 15 所示的窗口中，将 10 改为 5，单击“确定”按钮。

2. 显示各门课程全部及格的学生信息。

(1)单击“筛选”命令撤销前次的筛选。

(2)再次单击“筛选”命令开始新的筛选。

(3)单击“英语”右侧的下拉按钮。

(4)单击弹出菜单的“数字筛选(F)”→“大小或等于(O)...”命令。

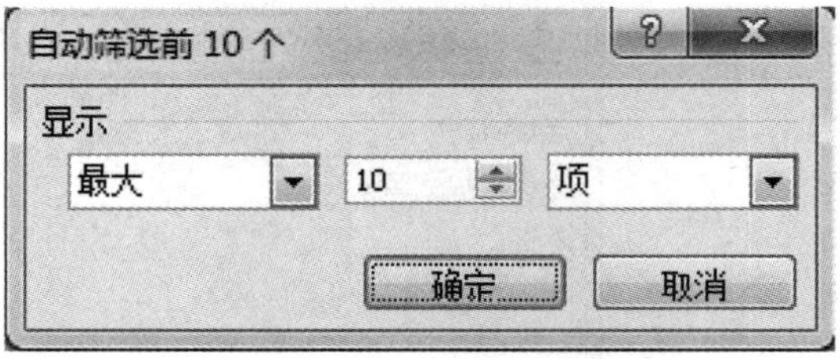

图 3 - 15　自动筛选

(5)在弹出的如图 3 - 16 所示的窗口中，在“大于或等于”右侧的输入框输入 60 后单击“确定”按钮。

(6)分别单击“高等数学”和“C 语言”右侧的下拉按钮，类似上面的操作，完成筛选条件的设置。

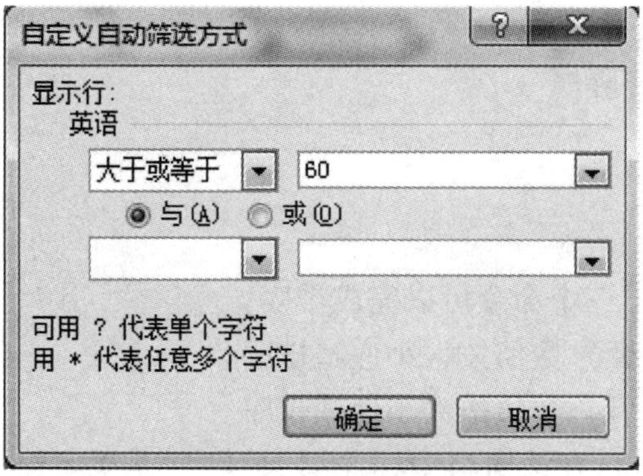

图 3 - 16　自动筛选 2

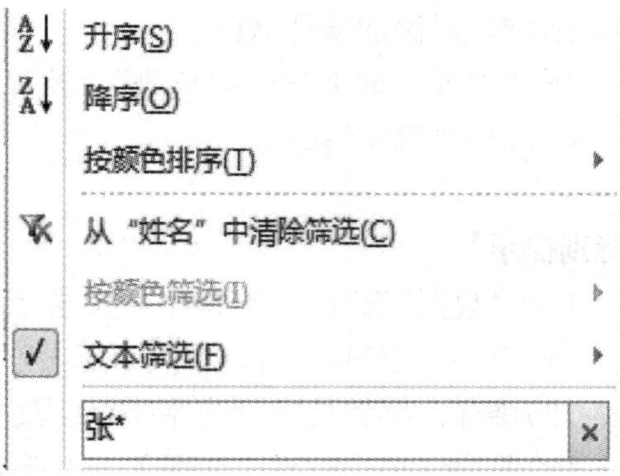

图 3 - 17　查找张姓记录

【特别提示】

1. 单击“筛选”命令设置筛选条件后，再次单击“筛选”命令可撤销筛选。

2. 借助下拉按钮设置筛选条件，查找满足条件的记录的方法称为“自动筛选”或“简单筛选”。

3. 如果筛选字段是文本，则可使用通配符“*”（代表任意个任意字符）和“?”（代表任意一个字符）。例如，需查找姓“张”的所有学生记录，可以按以下步骤进行：

（1）单击“姓名”右侧的下拉按钮。

（2）在弹出的命令列表的“搜索”栏输入“张*”，如图 3 - 17 所示。

（3）单击“确定”按钮。

4. 简单筛选存在以下几种局限：

（1）每个字段最多两个筛选条件（在逻辑上是“且”或“或”的关系）。

（2）各字段可以分别设置筛选条件，但这些条件是“且”的关系，不能是“或”的关系。

任务 6：分类汇总

【任务描述】

如图 3 - 18 所示，创建 D:\RW6. xlsx 工作簿，分别完成以下操作：

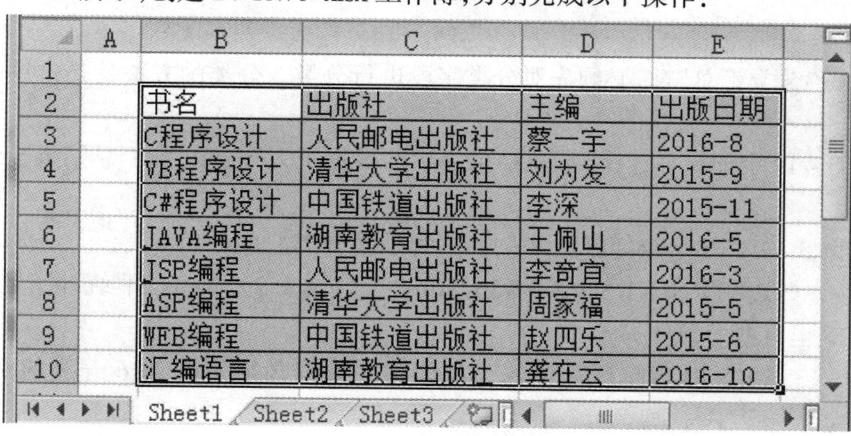

书名	出版社	主编	出版日期
C程序设计	人民邮电出版社	蔡一宇	2016-8
VB程序设计	清华大学出版社	刘为发	2015-9
C#程序设计	中国铁道出版社	李深	2015-11
JAVA编程	湖南教育出版社	王佩山	2016-5
JSP编程	人民邮电出版社	李奇宜	2016-3
ASP编程	清华大学出版社	周家福	2015-5
WEB编程	中国铁道出版社	赵四乐	2015-6
汇编语言	湖南教育出版社	龚在云	2016-10

图 3 - 18　任务 6 数据表样图

1. 直接在数据表中分类统计各出版社的教材数量。

2. 在 G、H 列显示各出版社在 2016 年出版的教材数量。

【操作步骤】

1. 在数据表中分类统计各出版社的教材数量。

（1）将插入点定位“出版社”字段所在区域。

（2）单击“数据”选项卡。

（3）单击“排序和筛选”组的“升序”或“降序”命令（目的：对出版社分类，使相同出版社的记录排放在一起）。

（4）单击“分级显示”组的“分类汇总”命令，弹出如图 3 - 19 所示的“分类汇总”对话框。

（5）“分类字段(A):”选择“出版社”，“汇总方式(U):”选择“计数”，“选定汇总项(D)”只选择“书名”。

(6)单击“确定”按钮。

2. 在G、H列显示各出版社在2016年出版的教材数量。

(1)右击C列,按【Ctrl+C】组合键复制C列数据。

(2)单击G1,按【Ctrl+V】组合键将C列数据复制到G列。

(3)单击“数据”选项卡。

(4)单击“数据工具”组的“删除重复项”命令。

(5)在弹出的“删除重复项警告”窗口中选择“以当前选定区域排序”选项。

(6)单击“删除重复项(R)...”按钮,再单击弹出窗口的“确定”按钮。

(7)在H3单元格输入公式“=COUNTIFS($E$3:$E$10,"2016*",$C$3:$C$10,G3)”。

(8)向下拖动H3的填充柄至最后一个数据行。

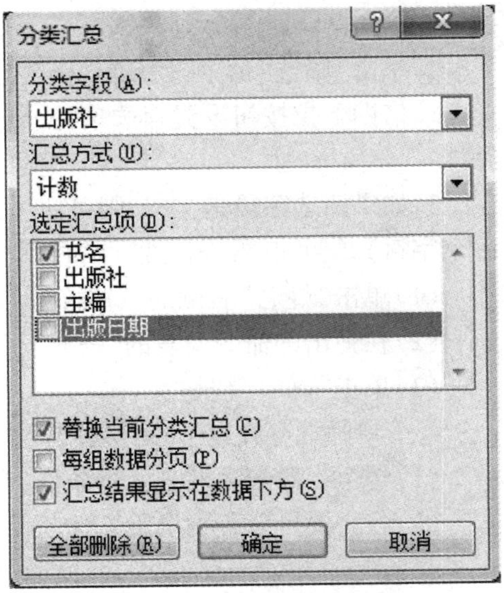

图3-19 “分类汇总”对话框

【特别提示】

1. 在执行“分类汇总”前,必须先对分类字段进行分类。分类的方法就是排序(升序、降序均可)。

2. 在图3-19中如果不选择“汇总结果显示在数据下方”选项,则汇总结果显示在数据上方。

3. 单击图3-19中的“全部删除(R)”按钮,可取消分类汇总。

4. 公式“=COUNTIFS($E$3:$E$10,"2016*",$C$3:$C$10,G3)”统计满足条件的单元格个数。这里有两个条件:

(1) $E$3:$E$10数据区域中每个单元格的数据必须是以2016开头的文本,其中“*”代表任意个任意字符。

(2) $C$3:$C$10数据区域的每个单元格的数据必须与G3单元格的数据相等。

注意:使用的两个条件区域必须具有相同数目的行和列。

任务7:图表处理

【任务描述】

创建D:\RW7.xlsx工作簿,并完成以下操作:

1. 在Sheet1工作表中绘制函数y=sin x在【0,2π】上的图像(用五点法作图)。

2. 如图3-20所示,在Sheet2工作表中创建数据表和对应的图表(簇状圆柱图)。

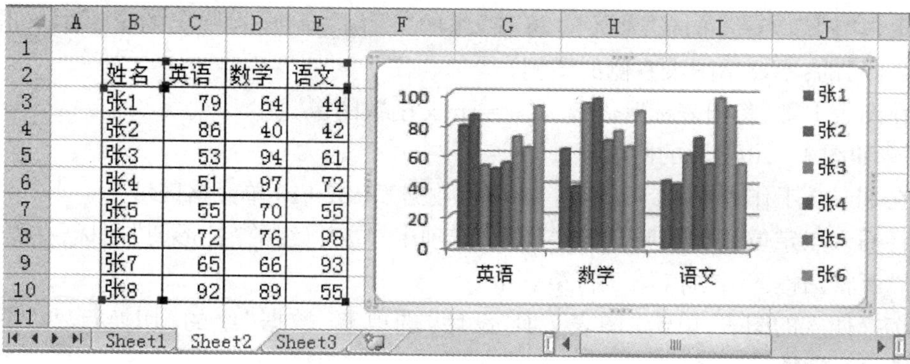

图 3-20 任务 7 图表 1

【操作步骤】

1. 绘制函数 y = sin x 的图像。

(1)如图 3-21 所示,先确定五点坐标。其中横坐标 x 的值分别为 0、π/2、π、3π/2、2π。π 的值由 C2 单元格指定。纵坐标 y 的值直接输入(或由 y = sin x 计算产生)。

(2)将插入点定位到上面创建的数据表中,单击“插入”选项卡“图表”组的“散点图”图标,在弹出的列表中单击“带平滑线和数据标记的散点图”类型(第一行第二个)。这时自动生成的图表如图 3-22 所示。

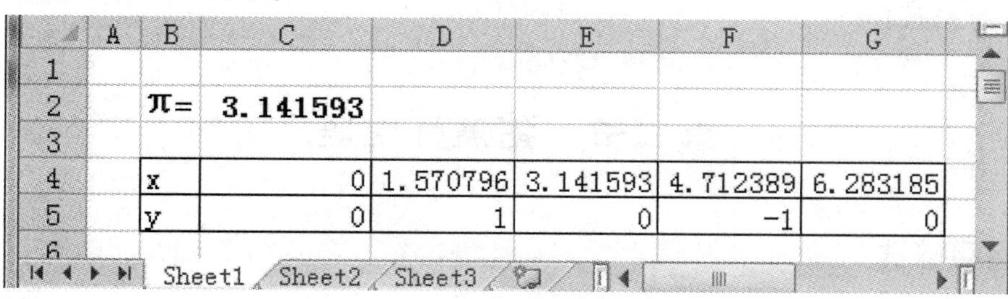

图 3-21 任务 7 数据表图示

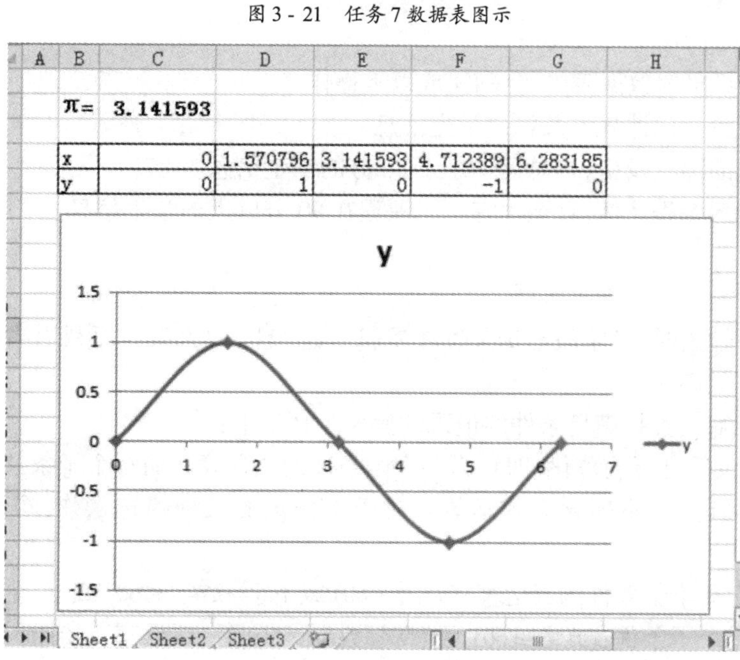

图 3-22 任务 7 图表 2

(3)单击“图表工具 布局”选项卡“标签”组的“图例”命令,在弹出的菜单中单击“关闭图例”命令(目的:不显示图表右侧的图例)。

(4)在图表上部,将图表标题修改为“y = sin x 函数图像”。

2. 创建如图 3 - 20 所示的图表。

(1)在 Sheet2 工作表中,参考图 3 - 20 输入数据表(B2:E10 单元格区域)。

(2)将插入点定位数据区域,单击“插入”选项卡“图表”组的“柱形图”图标,在弹出的菜单中单击“簇状圆柱图”图标(第三行第一个)。

(3)选择插入的图表,单击“图表工具 设计”选项卡“数据”组的“切换行/列”图标(目的:课程显示为横轴)。

【特别提示】

1. 生成图表后,可以修改数据表中的数据,图表会自动更新。

2. 利用“图表工具 设计”选项卡,可以更改图表类型、切换行/列、重新选择数据、确定图表样式、移动图表位置。

3. 利用“图表工具 布局”选项卡,可以确定“图表标题”“坐标轴标题”“图例”“数据标签”等相关设置,也可插入“图片”“形状”和“文本框”。

4. 利用“图表工具 格式”选项卡,可以对所选内容(背景墙、绘图区、图例、图表区、数据系列等)设置格式。

第二节 拓展性实验

任务 1:高级筛选

【任务描述】

在图 3 - 11 给出的数据表中,分别完成以下操作:

1. 筛选出至少一门课程不及格的学生信息。

2. 筛选出全部课程及格,且总评不小于 80 分的学生信息。

3. 筛选出全部课程及格,且至少有一门课程在 90 分以上的学生信息。

【特别提示】

1. 利用简单筛选时,各字段筛选条件在逻辑上是“且”的关系。而利用高级筛选可解决各类复制条件下的筛选。

2. 利用高级筛选查找满足条件的记录的操作步骤如下:

(1)对筛选条件进行规范化,即化为多个子条件的或运算。而每个子条件只能是多个字段筛选条件的且运算,不能含有或运算。对于本任务的三种筛选操作,可分别化为以下操作:

①操作 1:为三个子条件的或运算:(英语 < 60) 或 (高等数学 < 60) 或 (C 语言 < 60)。

②操作 2:一个子条件:(英语≥60) 且 (高等数学≥60) 且 (C 语言≥60) 且 (总评≥80)。

③操作 3:为三个子条件的或:【(英语 > 90) 且 (高等数学≥60) 且 (C 语言≥60)】或【(英

语≥60)且(高等数学>90)且(C 语言≥60)】或【(英语≥60)且(高等数学≥60)且(C 语言>90)】。

(2)创建条件区域。在数据表区域之外,将筛选条件涉及的字段(可以重复)作为条件区域的第一行,从第二行开始,每一行代表一个子条件。以本任务的操作 1 为例,条件区域应该如图 3 - 23 所示。

英语	高等数学	C语言
<60		
	<60	
		<60

图 3 - 23　条件区域

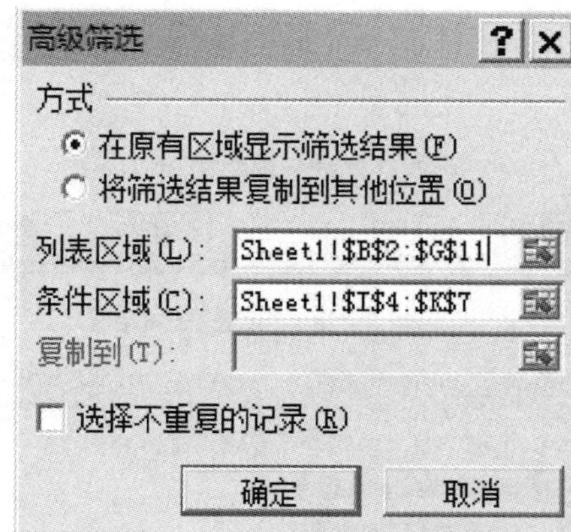

图 3 - 24　“高级筛选”对话框

(3)将插入点定位到数据表区域。

(4)单击“数据”选项卡“排序和筛选”组的“高级”命令,在弹出的如图 3 - 24 所示的“高级筛选”对话框中,确定列表区域(即数据表区域)和条件区域后单击“确定”按钮。如果需要将筛选结果显示在其他位置,需选择“将筛选结果复制到其他位置(O)”选项。

任务 2:设置数据有效性

【任务描述】

创建 D:\TZ2. xlsx 工作簿,完成以下设置:

1. 在 Sheet1 工作表的 A1:D1 区域依次输入以下数据:学号、姓名、性别、联系电话。
2. “学号”列只能输入以 2016 开头的八位数字且不能重复。
3. “姓名”字符数至少 2 个,最多 4 个。
4. “性别”列只能输入“男”或“女”(提供下拉列表项)。
5. “联系电话”列只能输入 11 位数字(以 1 开头)。

【特别提示】

1. 单击“数据”选项卡“数据工具”组的“数据有效性”图标,可打开如图 3 - 25 所示的窗口。该窗口包括以下四个选项卡:

(1)“设置”选项卡,用于设置有效性条件,控制输入。

(2)“输入信息”选项卡,如图 3 - 26 所示。单元格得到焦点时需显示的信息。如果不选择“选择单元格时显示输入信息(S)”选项,则单元格得到焦点时不显示信息。

(3)“出错警告”选项卡,如图 3 - 27 所示。设置输入无效数据时显示的出错警告。

(4)“输入法模式”选项卡,如图 3 - 28 所示。确定是否打开输入法。

2. 可以设置的有效性条件(即输入的数据必须满足的条件)为以下几种类型:

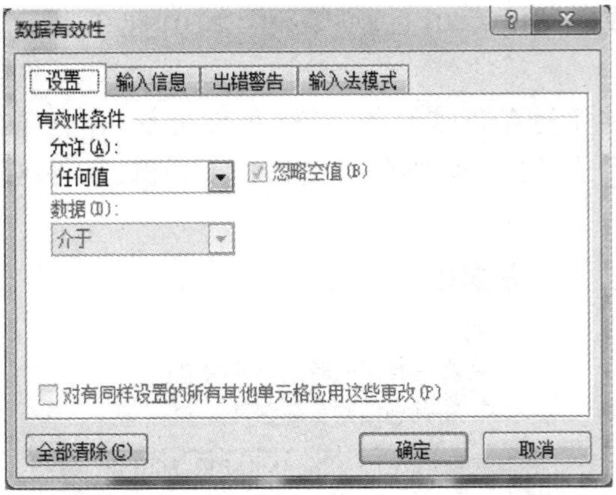

图 3-25 “设置”选项卡

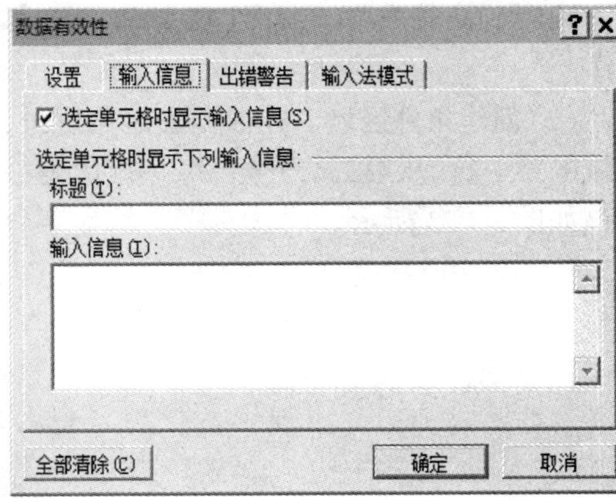

图 3-26 “输入信息”选项卡

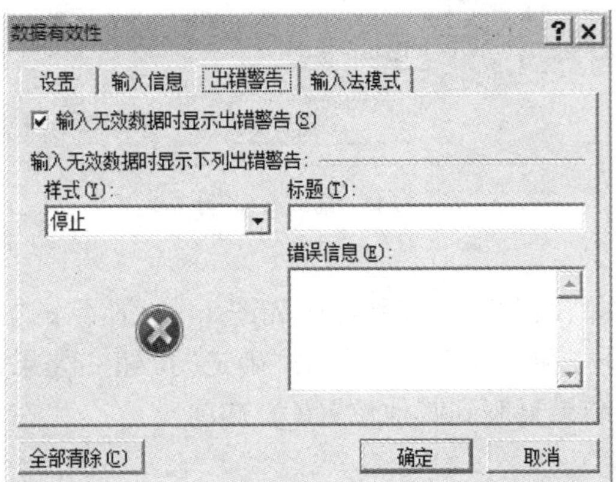

图 3-27 “出错警告”选项卡

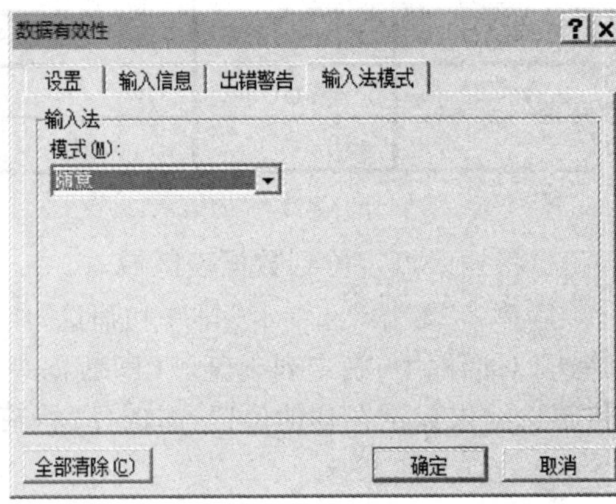

图 3-28 “输入法模式”选项卡

(1)任何值。等效于没有设置任何条件,可以输入任何数据。

(2)整数。指定允许输入的整数范围。如果“联系电话”单元格区域为“常规”或“数字”格式,可使用这种类型控制输入。

(3)小数。指定允许输入的实数范围。

(4)序列。需输入数据序列。选择“提供下拉箭头”选项后,数据输入时可直接从下拉列表中选择。“性别”单元格区域可使用这种类型控制输入。在输入序列时,各数据需用半角符号“,”(逗号)分隔。

(5)日期。指定日期范围。单元格数据必须是日期格式。

(6)时间。指定时间范围。单元格数据必须是时间格式。

(7)文本长度。指定输入文本长度的取值范围。“姓名”单元格区域可使用这种类型控制输入。

(8)自定义。需输入公式(为逻辑值)。公式中可引用单元格地址。

①“学号”输入控制(单元格格式必须为“常规”或“数字”)。公式为:

=AND(A1>=20160000,A1<=20169999,COUNTIF(A:A,A1)=1)。

说明:

公式包含必须同时满足的三个条件:

条件1:A1>=20160000。这是以2016开头的八位数的最小值。

条件 2:A1 < =20169999。这是以 2016 开头的八位数的最大值。

条件 3:COUNTIF(A:A,A1)=1。表示 A 列中,与 A1 单元格的值相等的只有一个单元格。

②通常情况下,公式中如果包含选择区域第一个单元格的相对引用,则会按照填充柄填充公式的规则改变公式后应用到其他单元格。例如,按上例方法为“学号”列自定义有效性条件后,选择 A3 单元格,单击“数据有效性”命令,可以看到显示的公式自动改变为:=AND(A3 > =20160000,A3 < =20169999,COUNTIF(A:A,A3)=1)。

任务 3:使用数据透视表

【任务描述】

根据图 3 - 29 给出的数据表 B2:F14,生成数据透视表。具体要求如下:

1. 能够选择“专业”得到不同专业的报表。

2. 在报表中,可根据“班级”设置筛选条件。

3. 在报表中,能够对“人数”“团员”和“党员”进行分类汇总。

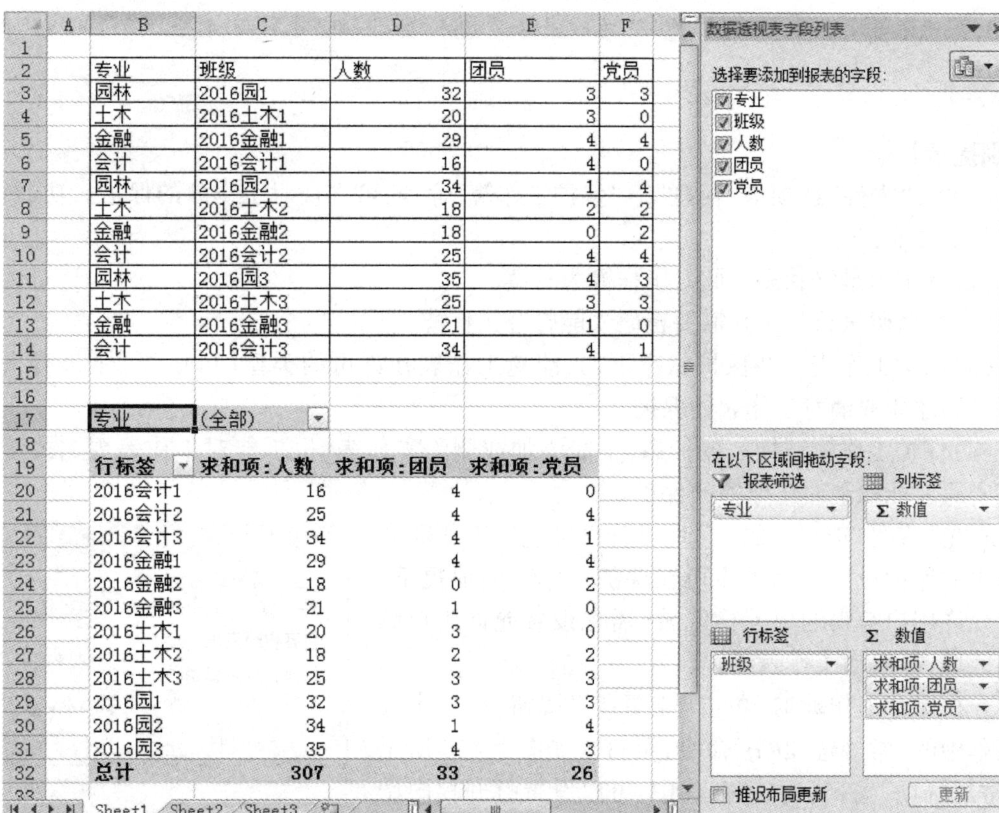

专业	班级	人数	团员	党员
园林	2016园1	32	3	3
土木	2016土木1	20	3	0
金融	2016金融1	29	4	4
会计	2016会计1	16	4	0
园林	2016园2	34	1	4
土木	2016土木2	18	2	2
金融	2016金融2	18	0	2
会计	2016会计2	25	4	4
园林	2016园3	35	4	3
土木	2016土木3	25	3	3
金融	2016金融3	21	1	0
会计	2016会计3	34	4	1

专业　(全部)

行标签	求和项:人数	求和项:团员	求和项:党员
2016会计1	16	4	0
2016会计2	25	4	4
2016会计3	34	4	1
2016金融1	29	4	4
2016金融2	18	0	2
2016金融3	21	1	0
2016土木1	20	3	0
2016土木2	18	2	2
2016土木3	25	3	3
2016园1	32	3	3
2016园2	34	1	4
2016园3	35	4	3
总计	307	33	26

图 3 - 29　数据透视表

【特别提示】

1. 将插入点定位到数据表后,单击“插入”选项卡“表格”组的“数据透视表”→“数据透视表”命令,可弹出“创建数据透视表”窗口。在该窗口中需完成以下操作:

(1)需确定要分析的数据。选择“选择一个表或区域(S)”选项。可在右侧的输入框内直接输入数据所在区域,也可将插入点定位到输入框后在工作表中拖动鼠标确定。

(2)设置数据透视表的显示位置。选择“新工作表(N)”或“现有工作表(E)”均可。

2. 如图 3 - 29 所示,数据透视表包括以下几项:

(1)报表筛选。用于指定生成报表的筛选字段。可以根据需要选择多个字段。

(2)列标签。确定汇总项需显示的列。

(3)行标签。确定汇总项需显示的行。

(4)数值。确定汇总项。单击字段右侧的下拉按钮,可设置汇总方式。

任务 4:工作簿的保护

【任务描述】

创建 D:\TZ4. xlsx。具体要求如下:

1. 需要密码才能打开工作簿。

2. 没有操作密码,不允许对工作簿的结构进行更改。

3. 没有操作密码,不允许对 Sheet1 工作表进行更改,但可对单元格区域 A1:A8 授权编辑。

【特别提示】

1. 单击“文件”选项卡“信息”→“保护工作簿”命令,可实现对工作簿的保护。功能包括以下几个方面:

(1)标记为最终状态。此时工作簿为只读。

(2)用密码进行加密。需要密码才能打开工作簿。

(3)保护工作表。在保护状态下,只能对工作表在许可的类型(可设置)中进行操作。需要密码才能取消对工作表的保护。

(4)保护工作簿结构。保护后,不能添加或删除工作表,也不能对工作表更名或复制。需要密码才能取消对工作簿的保护。

2. 在“审阅”选项卡的“更改”组,也可进行工作簿和工作表的保护设置。另外也可在保护工作表的前提下,设置允许用户编辑的单元格区域(需先设置允许用户编辑的区域,再启动工作表保护)。

3. 在保存工作簿时,单击“工具(L)”按钮,再单击弹出菜单中的“常规选项(G)”命令,可打开如图 3 - 30 所示的“常规选项”窗口。在该窗口中,可以设置打开权限密码和修改权限密码。

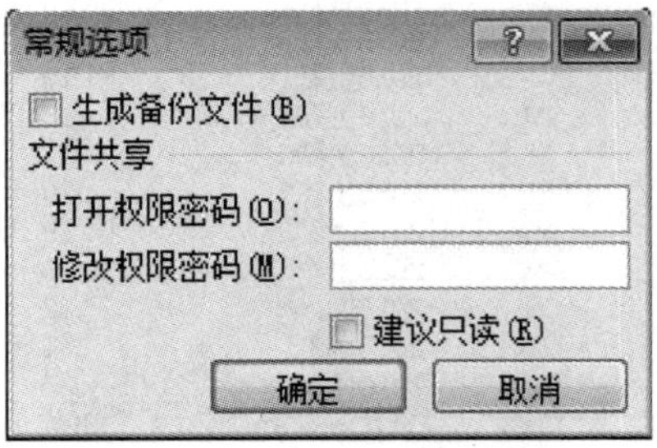

图 3 - 30 “常规选项”窗口

思考题

一、选择题

1. 填充柄位于单元格的______。

A. 左上角　　B. 右下角

C. 左下角　　D. 右上角

2. 假定 A1、A2 单元格的数据分别为 1、3，选择 A1:A2 区域后，向下拖动填充柄，这时 A3 的值为______。

A. 2　　B. 4

C. 5　　D. 6

3. 按下鼠标右键并拖动填充柄，再松开鼠标时，弹出菜单中没有的命令是______。

A. 等比序列　　B. 复制单元格

C. 仅填充格式　　D. 自动筛选

4. 假定 A1、A2 单元格的数据分别为 1、3，选择 A1:A2 区域后，按下鼠标右键并向下拖动填充柄，松开鼠标，在弹出菜单中选择"填充序列"命令，这时 A3 的值为______。

A. 2　　B. 4

C. 5　　D. 6

5. 选择单元格区域 A1:C4 后，在名称框中显示的是______。

A. A1　　B. C4

C. A1:C4　　D. 无法确定

6. 合并单元格区域 A1:C4 后，在名称框中显示的是______。

A. A1　　B. C4

C. A1:C4　　D. 无法确定

7. 一个工作簿最多有______个工作表。

A. 3　　B. 255

C. 256　　D. 只要内存足够，无限制

8. 利用"选择性粘贴"可以实现的操作是______。

A. 单元格转置　　B. 转换为图片

C. 复制格式　　D. 复制公式

9. 一个工作表最多有______行。

A. 65536　　B. 256

C. 1048576　　D. 只要内存足够，无限制

10. 一个工作表最多有______列。

A. 16384　　B. 256

C. 65536　　D. 只要内存足够，无限制

11. 假定 A1、B1、A2、B2 单元格的数据分别为 1、2、3、4。在 C1 单元格输入公式" = A1 + \$B\$1"后，拖动 C1 单元格的填充柄到 C2 单元格。则 C2 单元格内显示的数据为______。

A. 7　　B. 6

C. 5　　D. 3

12. 假定 A1、B1、A2、B2 单元格的数据分别为 1、2、3、4。在 C1 单元格输入公式“ = A1 + $ B1”后，拖动 C1 单元格的填充柄到 C2 单元格。则 C2 单元格内显示的数据为______。

A. 6　　B. 7

C. 5　　D. 3

13. 与公式“ = AVERAGE(A1:C1,E1)”等效的公式是______。

A. = (A1 + B1 + C1 + E1)/4　　B. = SUM(A1:C1,E1)/4

C. = AVERAGE(A1,B1,C1,E1)　　D. = SUM(A1,B1,C1,E1)/4

14. A1 单元格的数据为 86，则公式“ = IF(A1 > 75,IF(A1 > 85,1,2),3)”的值为______。

A. 1　　B. 2

C. 3　　D. 0

15. 下面选项中，属于排序选项的是______。

A. 区分大小写　　B. 按行排序

C. 字母排序　　D. 笔划排序

16. 可作为排序依据的是______。

A. 数值　　B. 单元格颜色

C. 字体颜色　　D. 单元格图标

17. 公式“ = COUNTIF(A:A," < 60")”的作用是______。

A. 计算第一行中，数据小于 60 的单元格个数

B. 确定 AA 单元格的数据是否小于 60

C. 确定 A1 单元格的数据是否小于 60

D. 计算第一列中，数据小于 60 的单元格个数

18. 启用筛选后，下面筛选条件中可以实现的是______。

A. 同一字段同时满足二个条件

B. 同一字段至少满足二个条件的一个

C. 不同字段同时满足各自的条件

D. 不同字段至少一个字段满足其条件

19. 定义高级筛选的条件区域时，同行的条件表示逻辑______。

A. 与　　B. 或

C. 否　　D. 逆否

20. A1 单元格的数据为 19，则公式“ = MOD(A1,10) + INT(A1/10)”的值为______。

A. 1　　B. 9

C. 10　　D. 0

21. 以下选项中能通过“条件格式”实现的是______。

A. 将包含字符“8”的单元格文本设置为红色

B. 将具有与其他单元格不重复值的单元格文本设置为红色

C. 将数据为本周日期的单元格文本设置为红色

D. 根据单元格值的不同范围显示不同的图标

22. 为某单元格区域设置条件格式后，如果修改了单元格的数据而需继续使用设置的条

件格式,需进行的操作是______。

A. 按【F5】键刷新　　B. 按【F9】键更新

C. 重新设置条件格式　　D. 无需任何操作

23. 创建单元格样式时可以设置______。

A. 对齐方式　　B. 边框格式

C. 文本格式　　D. 填充效果

24. 高级筛选定义条件区域时,条件区域必须包含______。

A. 条件字段　　B. 条件表达式

C. 公式　　D. 通配符

25. 以下选项中可作为高级筛选条件区域的条件表达式的是______。

A. *务*　　B. >3700

C. AND(>60,<90)　　D. >3700 and <4500

26. 通配符"*"表示______。

A. 任意一个字符　　B. 一个数字

C. 多个数字　　D. 零个或多个任意字符

27. 可作通配符的是______。

A. ?　　B. @

C. *　　D. %

28. 能提供下拉箭头的有效性条件是______。

A. 文本长度　　B. 整数

C. 序列　　D. 日期

29. 设置数据有效性时,可以同时给出______。

A. 输入信息　　B. 出错警告

C. 输入法模式　　D. 默认值

30. 选择单元格区域 A2:A40 后,设置其数据有效性条件为"自定义",公式为"=COUNTIF($A$2:$A$40,A2)=1"。其作用是______。

A. A2 单元格的数据不能与单元格区域 A2:A40 的其他单元格数据相同

B. 单元格区域 A2:A40 的所有单元格数据必须互异

C. 单元格区域 A2:A40 的所有单元格数据必须递增排序

D. 单元格区域 A2:A40 的所有单元格数据必须递减排序

二、填空题

1. Excel 工作簿文件的扩展名为______。

2. 创建工作簿时,默认的工作表数目为______________。

3. 假定 A1、B1、C1、A2、A3 单元格的数据分别为 1、2、3、4、5。B2 单元格输入的公式为"=A$1+$A2"。将 B2 单元格的填充柄向右拖至 C2,松开鼠标后,再将 B2 单元格的填充柄向下拖至 B3。则 C2 单元格的数据为______,B3 单元格的数据为______。

4. 在单元格内输入身份证号码的方法是____________________。输入分数的方法是________________。

5. 默认情况下,在单元格内输入数值后,数值的对齐方式是______。

6. 在对数据表进行分类汇总时,必须先对分类字段进行______。

7. 将单元格格式设置为______后,输入的数值会自动添加“%”。

8. 快速删除单元格区域中重复数据的方法是______。

9. 进行简单筛选时,同一个字段最多可以设置______个筛选条件。

10. 第一列单元格格式为“文本”,如果需要统计第一列单元格中含“会计”文本的单元格个数,需使用的公式为____________________。

11. 在利用高级筛选命令前,必须先定义条件区域。在条件区域中,第一行应填写____________。从第二行开始,是____。

12. 利用______,可控制单元格内只能输入满足条件的数据。

13. 利用______,可使单元格的格式随数据的不同自动应用设置的格式。

14. 双击______,在弹出的对话框中可修改图表的背景颜色。

15. 假定某数据表共有班级、姓名、高数、英语四个字段,那么,在生成数据透视表时,最适合拖放到“报表筛选”区域的字段是______。

三、操作题

如图 3 - 31 所示完成工作表的设计,具体要求如下:

1-4月销售统计表（单位：吨）

商品	产地	1月	2月	3月	4月	星级
青椒	河南	73	71	81	42	★
黄瓜	四川	76	78	75	60	★★
玉米	河南	85	62	77	44	★★
大豆	山东	74	69	38	79	★
花生	山东	88	90	66	94	★★★
绿豆	河南	41	35	46	33	
黑豆	四川	57	82	53	43	★

图 3 - 31　工作表样图

(1)各月份的销售量随机生成(均为【10,90】上的随机整数)。

(2)参考图 3 - 31 完成表格线的绘制。

(3)“星级”由公式产生。如果 1 个月的销售量超过 75,则添加一个星号。

第四章　PowerPoint 2010 制作演示文稿

第一节　验证性实验

任务 1:应用版式与设计主题

【任务描述】

创建演示文稿 D:\RW1. pptx,完成以下设计:

1. 第一张幻灯片:版式为“标题幻灯片”;添加备注:PPT 验证性实验任务 1。

2. 第二张幻灯片:设计主题为“凤舞九天”;插入艺术字“应用设计主题”(样式为样式列表中最后一排的第 3 个样式)。

3. 第三张幻灯片:设计主题为“行云流水”。

4. 设置幻灯片大小:全屏显示(16∶9)。

【操作步骤】

1. 第一张幻灯片设计。

(1)单击“开始”选项卡。

(2)单击“幻灯片”组的“版式”命令,弹出如图 4 - 1 所示列表。

(3)单击“标题幻灯片”版式。

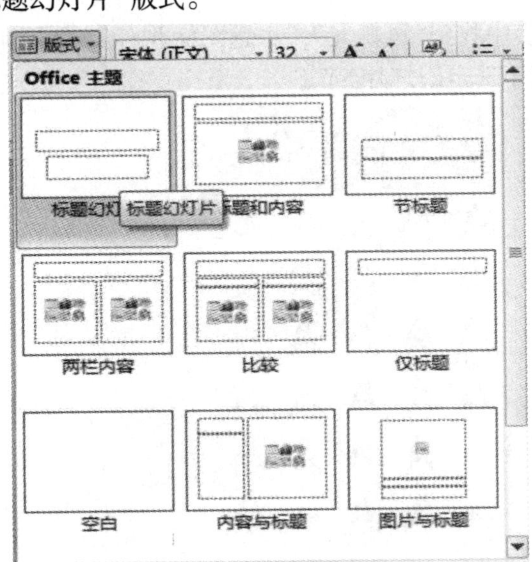

图 4 - 1　版式选项

(4)在“普通视图”下(为默认视图),窗口下方的输入框中可直接输入备注,如图 4 - 2 所示,也可通过“备注页”视图编辑备注。

图 4 - 2 添加备注

2. 第二张幻灯片应用设计主题。

(1)在 PPT 应用程序窗口左侧(幻灯片缩略图窗口)中单击第二张幻灯片缩略图,选择第二张幻灯片。

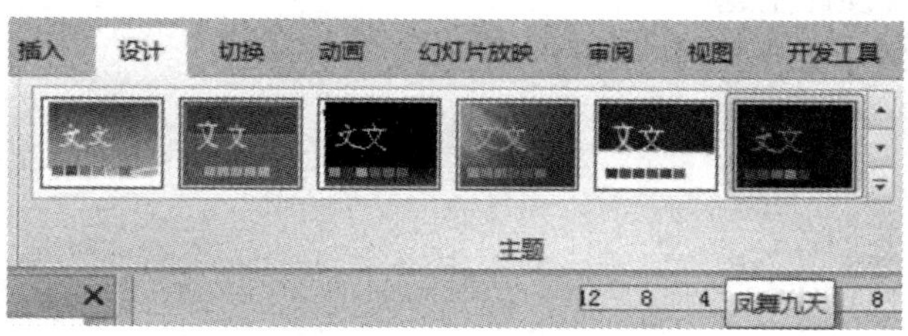

图 4 - 3 主题列表

(2)单击“设计”选项卡。

(3)在“主题”组的主题列表中找到“凤舞九天”主题图标并右击,如图 4 - 3 所示。

(4)单击弹出菜单的“应用于选定幻灯片(S)”。

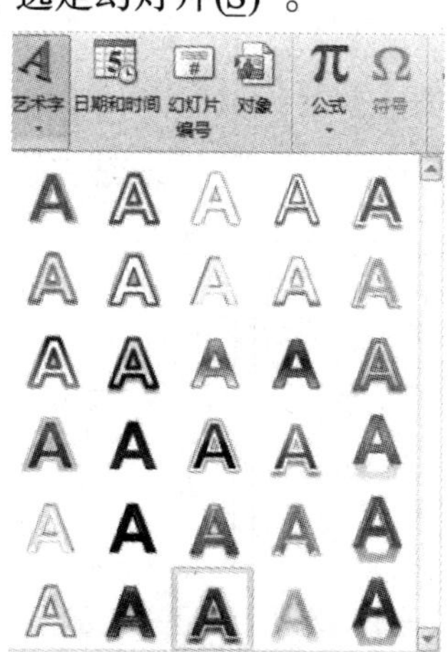

图 4 - 4 艺术字样式列表

3. 在第二张幻灯片中插入艺术字。
(1)选择第二张幻灯片。
(2)单击“插入”选项卡。
(3)在“文本”组单击“艺术字”命令。
(4)在弹出的如图 4 - 4 所示的样式列表中单击最后一行第三个样式图标。
(5)输入文字:应用设计主题。
4. 第三张幻灯片应用设计主题。
(1)选择第三张幻灯片。
(2)单击“设计”选项卡。
(3)在“主题”组的主题列表中找到“行云流水”主题图标并右击。
(4)单击弹出菜单“应用于选定幻灯片(S)”命令。
5. 设置幻灯片大小。
(1)单击“设计”选项卡。
(2)在“页面设置”组单击“页面设置”命令。
(3)在弹出的如图 4 - 5 所示的窗口中单击“幻灯片大小”下方的下拉列表按钮。
(4)单击弹出列表项“全屏显示(16:9)”。

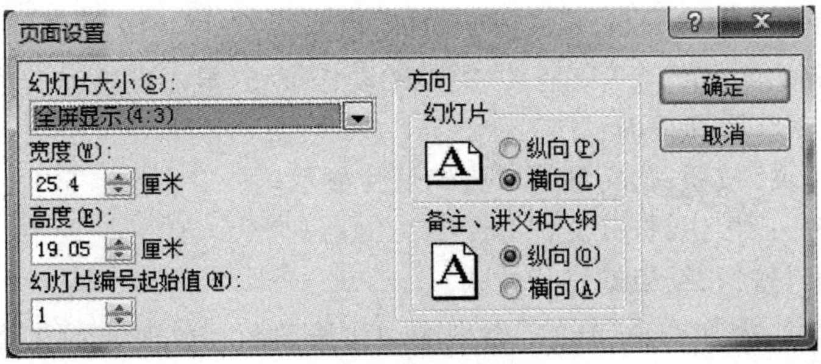

图 4 - 5　“页面设置”窗口

【特别提示】

版式是幻灯片中文字、表格、图片等显示对象的布局方式。PowerPoint 2010 提供了十一种版式,如图 4 - 6 所示。根据设计的需要,多张幻灯片可以应用相同的版式,也可以应用不同的版式。

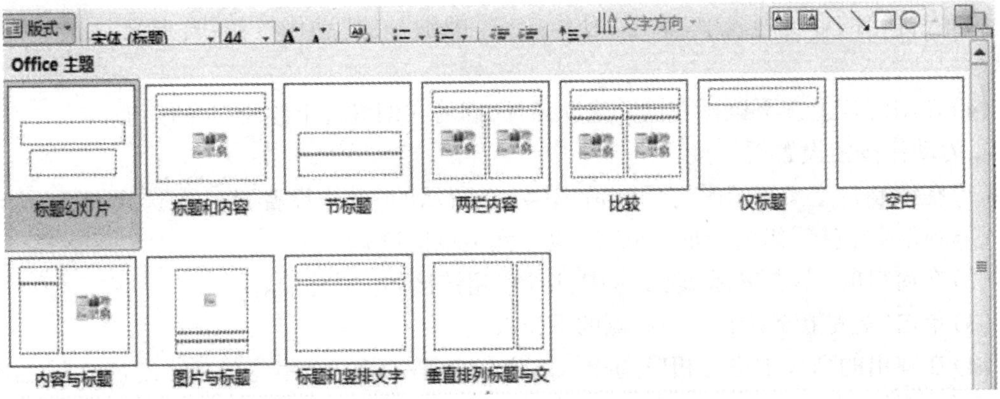

图 4 - 6　十一种版式

1. 设计主题定制了幻灯片的背景风格和显示内容的格式。PPT 中内置了 44 个设计主题。

2. 在“设计”选项卡中直接单击“主题”列表项，会将该主题应用到所有幻灯片。

3. 插入艺术字时，其格式由当前幻灯片应用的设计主题确定。

4. 选择艺术字后，可通过“绘图工具 格式”选项卡“艺术字样式”组修改艺术字样式。

5. 幻灯片设计完成后可利用“幻灯片放映”功能浏览设计效果。在“幻灯片放映”选项卡中提供的命令主要有以下几种：

（1）从头开始：即从第一张幻灯片开始放映演示文稿，快捷键【F5】。

（2）从当前幻灯片开始：从当前编辑的幻灯片开始放映演示文稿，快捷组合键为【Shift + F5】。

（3）广播幻灯片：接受者通过 WEB 浏览器观看幻灯片放映。

（4）设置幻灯片放映：定制幻灯片放映的类型、换片方式等。

任务 2：动作设置

【任务描述】

创建演示文稿 D:\RW2. pptx，完成以下设计：

1. 第一张幻灯片：添加三个“自定义”类型的动作按钮，显示的文本分别为“下一页”“结束”“参考…”。放映演示文稿时：

（1）单击“下一页”按钮，跳转到第二张幻灯片显示。

（2）单击“参考…”按钮，打开文档 D:\参考 . docx。

（3）单击“结束”按钮，结束幻灯片放映。

2. 第二张幻灯片：添加一个“开始”类型的动作按钮。在放映演示文稿时，单击该按钮，能够跳转到第一张幻灯片显示。

【操作步骤】

1. 添加自定义按钮。

（1）单击“插入”选项卡。

（2）单击“插图”组的“形状”命令。

（3）在弹出的形状列表中，单击“动作按钮”类别下的“动作按钮：自定义”（最后一个）图标。

（4）在幻灯片上按下鼠标左键并拖动鼠标，即可在幻灯片上绘制一个按钮。

2. 为动作按钮设置超链接。

（1）在绘制自定义按钮时，会弹出如图 4 - 7 所示的“动作设置”窗口（选择按钮后，单击“插入”选项卡“链接”组的“动作”按钮，也可弹出该窗口）。

（2）在窗口的“单击鼠标”选项卡中，选择“超链接到(H)”选项。

（3）单击“超链接到(H)”选项右侧的下拉按钮。

（4）在弹出的列表中进行相应选择。选项有：“下一张幻灯片”“第一张幻灯片”“结束放映”“其他文件…”（可指定打开的文件）等。

3. 为按钮添加文本。

(1)右击绘制的自定义按钮。

(2)单击弹出菜单的“编辑文字”命令(这时按钮区域显示插入点)。

(3)输入按钮上需显示的文本。

【特别提示】

1. 在幻灯片中插入的图片、剪贴画、形状或文本,均可进行动作设置。可以分别设置“单击鼠标”和“鼠标移过”时的具体动作。这些动作主要有以下几点:

(1)超链接到。可链接到当前演示文稿的幻灯片,或链接到其他文件或网页。

(2)运行程序。可单击“浏览”按钮指定需要运行的应用程序。

2. 设置动作后,可以指定播放的声音。如图4-7所示,选择“播放声音”选项后,再单击其右侧的下拉按钮,可选择需要播放的声音。

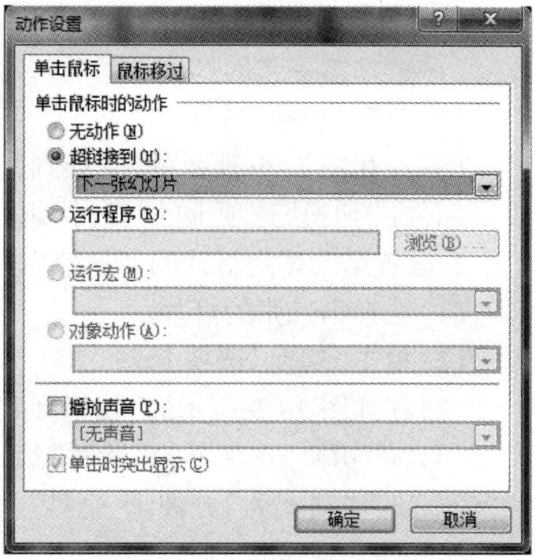

图 4-7　“动作设置”窗口

3. 可以选择部分文本创建超链接。选择文本后,单击“插入”选项卡“链接”组的“超链接”图标(快捷组合键为【Ctrl + K】),可打开如图4-8所示的“插入超链接”窗口,在该窗口中可完成以下操作:

图 4-8　“插入超链接”窗口

(1)单击“现有文件或网页(X)”,可设置链接的文件或网页。

(2)单击“本文档中的位置(A)”,可指定链接到当前演示文稿的幻灯片。

4. 演示文稿在其他计算机上放映时,如需通过超链接或动作设置运行指定的程序或打开指定的文件,需注意这些文件与 PPT 文件保存在同一位置。

任务 3:幻灯片切换

【任务描述】

创建演示文稿 D:\RW3. pptx,完成以下设计:

1. 第一张幻灯片:幻灯片切换效果为“时钟”,单击鼠标时切换。
2. 第二张幻灯片:幻灯片切换效果为“形状”,自动换片时间为2秒。

【操作步骤】

1. 设置第一张幻灯片的切换效果。

(1)选择第一张幻灯片。

(2)单击“切换”选项卡。

(3)在如图4-9所示的“切换到此幻灯片”组中单击切换效果列表中的“时钟”图标。

(4)在“切换”选项卡的“计时”组,选择“单击鼠标时”选项。

2. 设置第二张幻灯片的切换效果。

(1)选择第二张幻灯片。

(2)单击“切换”选项卡。

(3)在如图4-9所示的“切换到此幻灯片”组中,单击切换效果列表中的“形状”图标。

(4)在“切换”选项卡的“计时”组,选择“设置自动换片时间:”选项,并在右侧设置时间为“00:02.00”(格式为“分钟:秒.毫秒”)。

【特别提示】

设置幻灯片的切换效果后,在“切换”选项卡“计时”组,如图4-9所示,可以做以下设置:

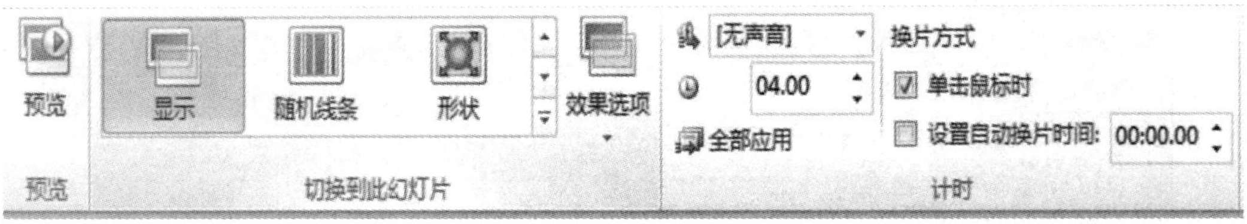

图4-9 “切换”选项卡

(1)声音。可以指定幻灯片切换时播放的声音。

(2)持续时间。即切换效果的播放秒数。

(3)换片方式。可以是“单击鼠标时”或“设置自动换片时间”。二者可同时设置。

(4)全部应用。即所有幻灯片均使用相同的切换效果。

任务4:自定义动画

【任务描述】

创建演示文稿D:\RW4. pptx,对第一张幻灯片完成以下设计:

1. 标题文本:自定义动画。字符格式:红色、加粗、40号宋体。
2. 标题进入动画:翻转式由远及近,单击时开始。
3. 标题强调动画:跷跷板,上一动画之后开始。
4. 插入一个文本框:显示内容为“动画类型”,进入动画为“轮子”,“与上一动画同时”。

【操作步骤】

1. 输入标题。

(1)将幻灯片缩略图切换到如图 4 - 10 所示的“大纲”视图。

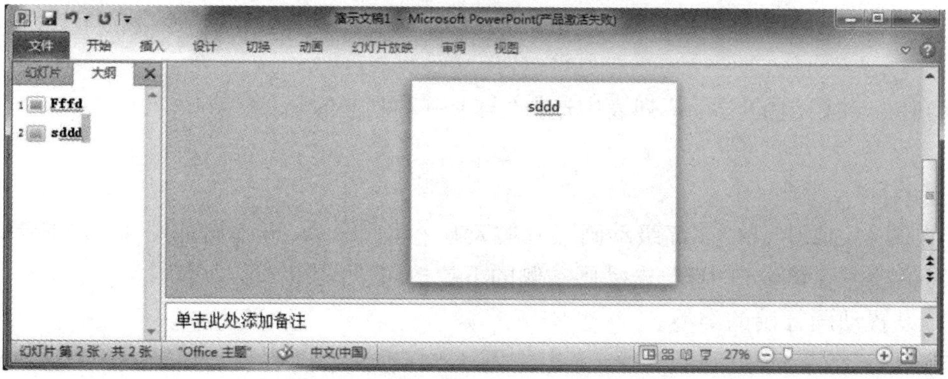

图 4 - 10　“大纲”视图

(2)在第一张幻灯片缩略图右侧直接输入标题:自定义动画。

(3)选择标题文本。

(4)单击“开始”选项卡。

(5)在如图 4 - 11 所示的“字体”组中设置文本格式。

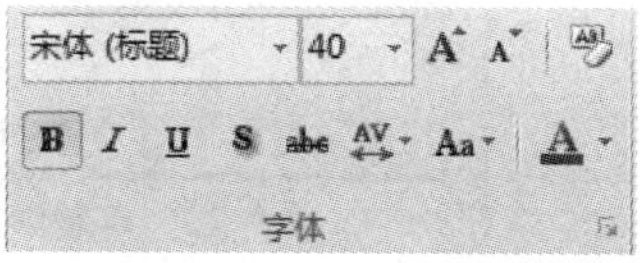

图 4 - 11　“字体”组

2. 设置标题的进入动画。

(1)选择标题。

(2)单击“动画”选项卡。

(3)在如图 4 - 12 所示的“动画”组的动画效果列表中,选择“进入”类别中的“翻转式由远及近”选项。

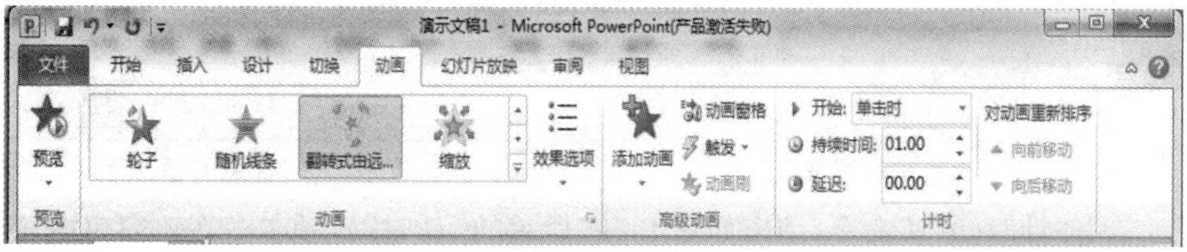

图 4 - 12　“动画”选项卡

(4)在“计时”组的“开始”列表中选择“单击时”。

3. 设置标题的强调动画。

(1)选择标题。

(2)单击“动画”选项卡。

(3)在如图 4 - 12 所示的“动画”组的动画效果列表中,选择“强调”类别中的“跷跷板”选项。

(4)在“计时”组的“开始”列表中选择“上一动画之后”。

4. 插入文本框。

(1)单击“插入”选项卡。

(2)单击“文本”组的“文本框”下拉按钮。

(3)单击弹出菜单的“横排文本框(H)”命令。

(4)在第一张幻灯片的编辑区,按下鼠标并拖动,画出一个文本框。

(5)输入文字:动画类型。

5. 设置文本框的进入动画。

(1)选择文本框(单击文本框选择框边线,不要让插入点移到文本框内)。

（2）单击“动画”选项卡。

（3）在如图 4 - 12 所示的“动画”组的动画效果列表中，选择“进入”类别中的“轮子”选项。

（4）在“计时”组的“开始”列表中选择“与上一动画同时”。

【特别提示】

1. 在图 4 - 12 中，单击“高级动画”组的“动画窗格”命令，可弹出如图 4 - 13 所示“动画窗格”对话框。在该窗口中，单击动画右侧的下拉按钮，可以完成以下操作：

（1）设置动画开始的类型。

（2）单击“效果选项(E)...”命令，弹出如图 4 - 14 所示的“效果”选项卡。可进一步设置显示动画时需播放的声音、动画播放后对象的显示效果（预置颜色选项、其他颜色、不变暗、播放动画后隐藏、下次单击后隐藏）等。

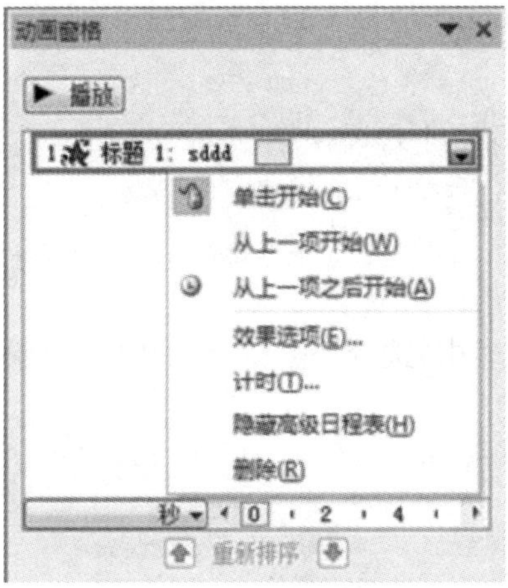

图 4 - 13 “动画窗格”对话框

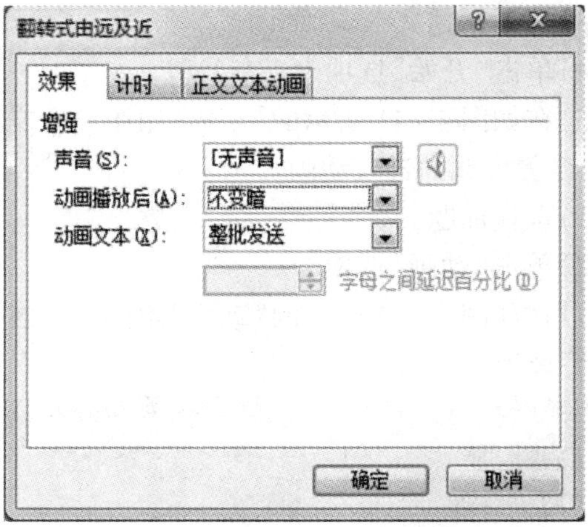

图 4 - 14 “效果”选项卡

（3）单击“计时(T)...”命令，弹出如图 4 - 15 所示的“计时”选项卡。在该窗口中，可以设置动画的开始类型、动画播放时是否延迟、动画播放的持续时间、是否重复播放等。

2. 同一个显示对象可以设置多个动画效果。但各动画不能设置为同时播放。

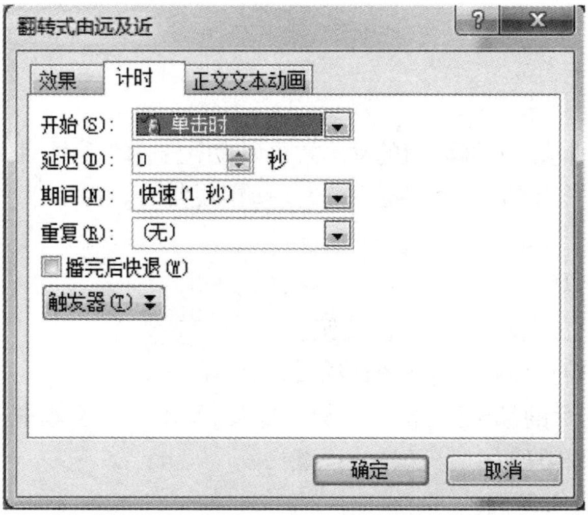

图 4 - 15 “计时”选项卡

第二节　拓展性实验

任务 1：动画触发器的应用

【任务描述】

创建演示文稿 D:\TZ1. pptx，对第一张幻灯片完成以下设计：

1. 插入三个自定义按钮，显示文本分别为“进入动画”“强调动画”“退出动画”。

2. 插入三个文本框，具体要求如下：

（1）文本框 1：显示文本为“显示时的动画效果”。

（2）文本框 2：显示文本为“显示后的动画效果”。

（3）文本框 3：显示文本为“退出时的动画效果”。

（4）三个文本框的进入动画均为“旋转”。单击“进入动画”按钮时触发文本框 1 的动画效果；单击“强调动画”按钮时触发文本框 2 的动画效果；单击“退出动画”按钮时触发文本框 3 的动画效果。

【特别提示】

1. 对象动画的显示也可通过单击指定的显示对象来触发。单击时能够触发动画显示的对象称为动画触发器。

2. 设置显示对象的动画后，可以单击“动画”选项卡“高级动画”组的“触发”命令，在弹出的列表中，选择动画的触发器。触发器可以是当前幻灯片显示的任何对象，也可以将显示对象自身设置为其动画触发器。

3. 上面的动画设计完成后，放映演示文稿，分别单击三个按钮，会显示三个文本框的内容，造成重叠。如果需要在显示另一个文本框前，将前一个显示的文本框隐藏，可以在动画的效果选项中，在“动画播放后(A)：”右侧的下拉列表中选择“下次单击后隐藏”。其播放效果是第一次单击按钮，显示相应的文本框动画，再次单击该按钮，可以隐藏显示的文本框。

任务 2：动作路径动画的设计

【任务描述】

创建演示文稿 D:\TZ2. pptx，对第一张幻灯片完成以下设计：

1. 绘制一个高度和宽度均为 8.8 厘米的圆（绿球）：无线条颜色、渐变填充（类型：路径；左侧光圈白色，透明度 10%；右侧光圈绿色，透明度 10%）。

2. 绘制一个高度和宽度均为 2.4 厘米的圆（红球）：无线条颜色、渐变填充（类型：路径；左侧光圈白色，透明度 10%；右侧光圈红色，透明度 10%）。

3. 绘制一个高度为 8 厘米、宽度为 16 厘米的圆（黄色环）：无填充；旋转 - 24 度；线型（宽 6 磅；“复合类型”为“三线”）；线条黄色。

4. 黄色环在最底层，绿球在最顶层。

5. 设置红球动画：动作路径“形状”；运行轨迹与黄色圆环基本重合；开始：上一动画之

后;重复:直到幻灯片结尾。

【特别提示】

1. 圆的绘制。

(1)单击“插入”选项卡“插图”组的“形状”命令。

(2)在弹出的形状列表中,单击“基本形状”中的“椭圆”图标(第一行第三个)。

(3)在文档中按下【Shift】键和鼠标左键并拖动,即可绘制圆。

2. 设置圆的格式。右击圆,再单击弹出菜单的“设置形状格式(O)...”命令,弹出“设置形状格式”窗口如图 4 - 16 所示。在该窗口中可以进行以下设置:

图 4 - 16 “设置形状格式”窗口

(1)填充。即对象内部填充效果。可以是单色、渐变填充,或图片图案填充。也可以无填充(内部透明)。

(2)线条颜色。指形状边线的颜色。可以设置为无线条,或实线,或渐变线。可设置线条颜色的透明度。

(3)线型。指形状边线的线型,包括宽度、复合线类型、短划线类型、线端类型、联接类型。

(4)大小。包括高度、宽度、旋转角度等。

3. 对象的层叠关系。右击显示对象,执行弹出菜单的“置于顶层”或“置于底层”命令,可以改变显示对象的前后层叠关系。

4. 选择一种路径动画后,可以对路径(在播放幻灯片时路径是隐藏的)进行编辑,如旋转、缩放、编辑顶点等。

任务 3:应用母版

【任务描述】

创建演示文稿 D:\TZ3. pptx,在母版视图中完成以下设计:

1. 标题母版左下角显示日期(年月日),能自动更新。

2. 在幻灯片母版中添加:幻灯片编号(显示在右下角)、“开始”动作按钮(显示在右上角)。

【特别提示】

1. 不同的设计主题,有不同的母版。一个母版通常包括以下两个部分:

(1)幻灯片母版。为应用相同主题的幻灯片共用。

(2)版式母版。针对各类版式均提供了相应的母版。应用相同设计主题的幻灯片,如果版式也相同,则共用版式母版。可以删除未使用的版式母版。

(3)选择相应的版式母版后,单击“插入”选项卡“文本”组的“日期和时间”图标,弹出如图 4 - 17 所示的“页眉和页脚”窗口。在该窗口中,选择“幻灯片编号”或“日期和时间”选项,则可在母版中插入幻灯片编号或日期和时间。

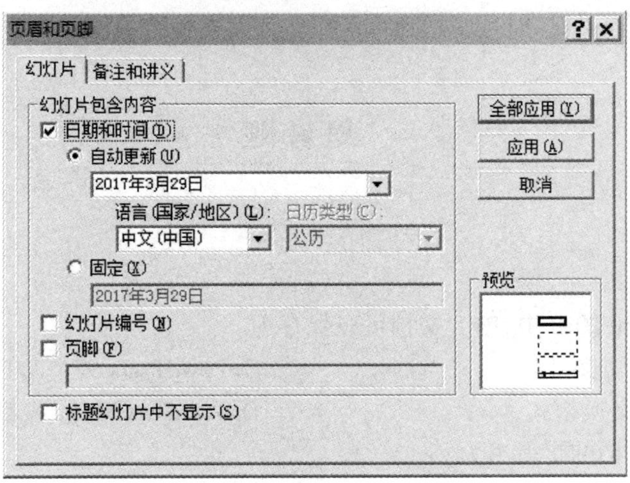

图 4 - 17　“页眉和页脚”窗口

任务 4:演示文稿的保存与发布

【任务描述】

创建演示文稿 D:\TZ4. pptx,分别保存为以下几种格式:

1. PDF 格式。

2. PowerPoint 放映。

3. Windows Media 视频。

4. CD 格式。

【特别提示】

1. 演示文稿的保存类型主要有以下几种：

（1）PowerPoint 演示文稿。这是演示文稿保存的默认类型，扩展名为 PPTX。这类文档可直接通过 PowerPoint 2010 编辑，只能在 PowerPoint 环境中放映。

（2）PowerPoint 97 - 2003 演示文稿。这是 PowerPoint 早期版本的演示文稿，扩展名为 PPT。

（3）PDF 格式。是由 Adobe Systems 用于与应用程序、操作系统、硬件无关的方式进行文件交换所发展出的文件格式。是在 Internet 上进行电子文档发行和数字化信息传播的理想文档格式。

（4）PowerPoint 模板。扩展名为 POTX。利用该模板，可以轻松制作同类演示文稿。

（5）PowerPoint 放映。扩展名为 PPTS。在 Windows 资源管理器中，双击这类文档可直接放映演示文稿，不必打开 PowerPoint 应用程序窗口。利用 PowerPoint 应用程序窗口的“打开”命令，可以对文档进行编辑。

（6）Windows Media 视频。扩展名为 WMV。WMV 格式的文件可以边下载边播放，因此很适合在网上播放和传输。

（7）图片格式。包括 GIF 可交换的图形格式、JPEG 文件交换格式、PNG 可移植网络图形格式、TIFF Tag 图像文件格式、设备无关位图、Windows 图元文件。

2. 利用“文件”→“保存并发送”命令可以将演示文稿打包成 CD。

思考题

一、选择题

1. 在 PowerPoint 2010 中，PPT 文档可以保存为______。

A. PowerPoint 放映　　B. PowerPoint 97 - 2003 演示文稿

C. JPEG 文件交换格式　　D. Windows Media 视频

2. PPT 放映文档的扩展名为______。

A. PPS　　B. PPSX

C. PPTX　　D. PPT

3. 下面有关幻灯片版式的说法中正确的是______。

A. 不同的幻灯片可以有不同的版式

B. 同一版式可用于不同的幻灯片

C. 幻灯片应用版式后仍可添加显示元素

D. 同一演示文稿中不能有两张幻灯片均使用“标题幻灯片”版式

4. 选择的文本可超链接到______。

A. Word 文档　　B. 网页

C. 电子邮件地址　　D. 其他 PPT 文档的一张幻灯片

5. 通过“动作设置”，单击“动作按钮”时可以______。

A. 结束放映　　B. 运行程序

C. 播放声音　　D. 超链接到其他文件

6. 同一演示文稿中，不同的幻灯片可以有不同的______。

A. 版式　　B. 设计主题

C. 备注　　D. 背景

7. 设计主题是定制了演示文稿样式的文件，包括______。

A. 字体类型和大小　　B. 背景设计和填充

C. 配色方案　　D. 幻灯片母版

8. 下面有关动画的说法中正确的是______。

A. 一个对象只能设置一个进入动画

B. 一个对象既可以设置进入动画，也可以设置强调动画

C. 一个对象只能设置一个退出动画

D. 一个对象可以设置多个强调动画

9. 在“设计”面板中可以设置______。

A. 幻灯片大小　　B. 幻灯片方向

C. 背景格式　　D. 设计主题

10. 在“切换”面板中，可以设置幻灯片的切换效果。包括______。

A. 每种切换效果的效果选项　　B. 幻灯片切换时是否播放声音

C. 幻灯片切换效果的持续时间　　D. 换片方式

11. 触发对象动画的方式有______。

A. 单击时　　B. 与上一动画同时

C. 上一动画之后　　D. 使用触发器

12. 下面选项中，可作为触发器的是______。

A. 图片　　B. 形状

C. 艺术字　　D. 选择的文本

13. 动画播放后的效果可以设置为______。

A. 不变暗　　B. 播放动画后隐藏

C. 下次单击后隐藏　　D. 自动退出

14. 动画文本的显示效果可以是______。

A. 整批发送　　B. 随机次序

C. 按字/词　　D. 按字母

15. 动画的重复设置可以是______。

A.（无）　　B. 指定重复次数

C. 直到幻灯片末尾　　D. 直到下一次单击

16. 下面选项中属于对象填充方式的是______。

A. 纯色填充　　B. 渐变填充

C. 图案填充　　D. 幻灯片背景填充

17. 下面选项中属于“动作路径”类动画的是______。

A. 直线　　B. 弧线

C. 形状　　D. 循环

18. 在幻灯片母版中可以______。

A. 显示日期　　B. 设置页脚
C. 设置母版标题样式　　D. 添加文本框或图片
19. 可以与文本框组合的是______。
A. 图片　　B. 形状
C. 表格　　D. 艺术字
20. 在 PPT 中可以另存为图片的是______。
A. 文本框　　B. 表格
C. 形状　　D. 组合图形

二、填空题

1. 创建新的演示文稿时,幻灯片的默认主题是______________。
2. 不同的幻灯片可以使用不同的版式。可选择的版式共有______种。
3. PowerPoint 内置的设计主题共有______种。
4. 在幻灯片的缩略图中,选择一张幻灯片后按【Enter】键,其作用是______。
5. 演示文稿的视图有:普通视图、幻灯片浏览、______和______。
6. 母版视图包括幻灯片母版、______和______。
7. 对象的动作既可以通过单击鼠标时触发,也可以______时触发。
8. 对象的动画触发方式有四种:单击鼠标时、与上一动画同时、______和______。
9. 幻灯片的切换方式分为三类:细微型(共______种)、华丽型(共______种)和动态内容(共______种)。
10. 动画分为四类:进入动画、强调动画、______和______。

三、操作题

创建一个演示文稿,具体要求如下:
(1)以"个人简历"为主要内容,包括个人基本信息(姓名、性别、出生日期、近照等)、学习经历、主要业绩等内容。
(2)至少设计四张幻灯片,每张幻灯片版式和主题均不能相同。
(3)第一张幻灯片为目录页,支持幻灯片播放时的跳转。
(4)设计每张幻灯片各不相同的切换效果。
(5)至少设计四个对象不同类型的显示动画。
(6)在幻灯片中需插入 GIF 动画图片和 FLASH 动画。
(7)播放背景音乐。

第五章　WPS 2016 简单应用

第一节　验证性实验

任务 1:WPS 文字处理

【任务描述】

创建 D:\wpsRW1. wps 文档,并完成以下操作:

1. 创建四个段落。

2. 第一段为标题行,水平居中,三号加粗;段后距离 10 磅。

3. 第二、三、四段自动编号。编号格式为预设格式列表中第一行第四个。

4. 插入“五角星”形状,渐变路径填充(二个光圈:左光圈白色,右光圈红色)、四周型环绕。

5. 插入一个三行六列的表格,最后一列合并。第一行第一列插入表格斜线(\)。

6. 编辑公式: $(x+y)^n=\sum_{k=0}^{n}C_n^k x^k y^{n-k}$ 。

【操作步骤】

1. 创建四个段落(按【Enter】键可结束一个段落并开始新的段落)。

2. 设置第一段格式。

(1)单击第一行左侧(选择栏)选择第一行。

(2)单击“开始”选项卡。

(3)在如图 5 - 1 所示的“字体”组中单击“字号”右侧的下拉按钮,再选择弹出列表项中的“三号”。

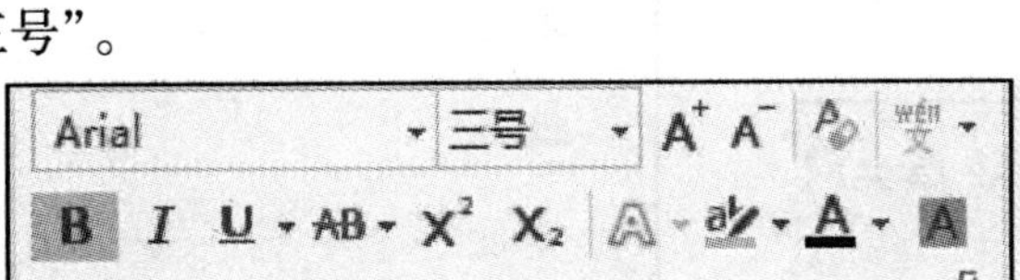

图 5 - 1　“字体”组

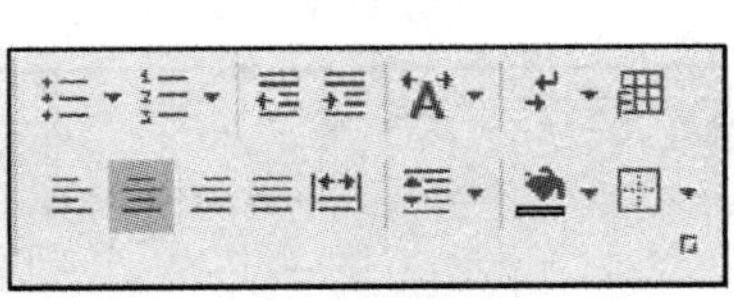

图 5 - 2　“段落”组

(4)单击“字体”组上的“加粗”图标(或按【Ctrl + B】组合键)。

(5)单击如图 5 - 2 所示的“段落”组右下方的小方块,弹出如图 5 - 3 所示的“段落”对话框。

(6)单击“缩进和间距”选项卡。

(7)在“间距”区域,单击“段后”右侧的下拉按钮,单击列表项“磅”。

(8)在“段后”右侧输入框内输入:10。

3. 第二、三、四段自动编号。

(1)将光标定位到第二个段落左侧的选择栏。

(2)按下鼠标并拖动到第四个段落的最后一行,选择第二、三、四段落。

(3)单击“开始”选项卡。

(4)单击如图 5 - 2 所示的“段落”组的“编号格式”命令中的第一行第二个图标。

(5)单击弹出的编号列表项中第一行的最后一项,如图 5 - 4 所示。

4. 插入“五角星”形状。

(1)单击“插入”选项卡。

(2)单击“形状”命令。

(3)在弹出的列表中,单击“星与旗帜”分类项中的“五角星”图标(第一行第四个图标)。

(4)在文档中按下鼠标左键并拖动鼠标,绘制一个五角星。

(5)拖动五角星四周的小方块,适当调整形状大小和长宽比。

(6)右击五角星,再单击弹出菜单的“设置对象格式”命令(在 WPS 窗口的右侧会显示如图 5 - 5 所示的属性面板)。

(7)展开“填充”项,并完成以下操作:

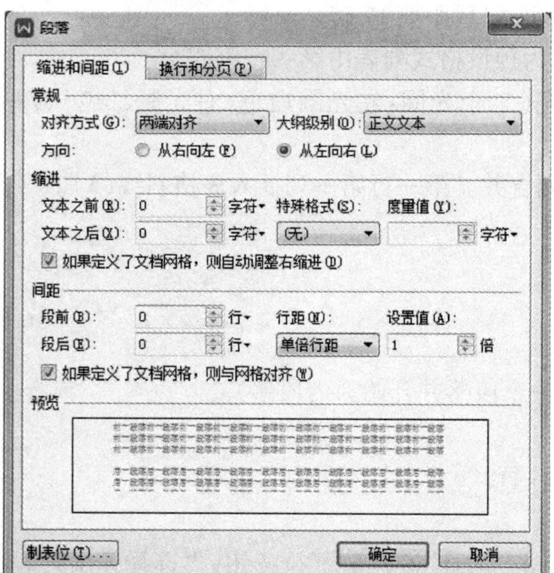

图 5 - 3 “段落”对话框

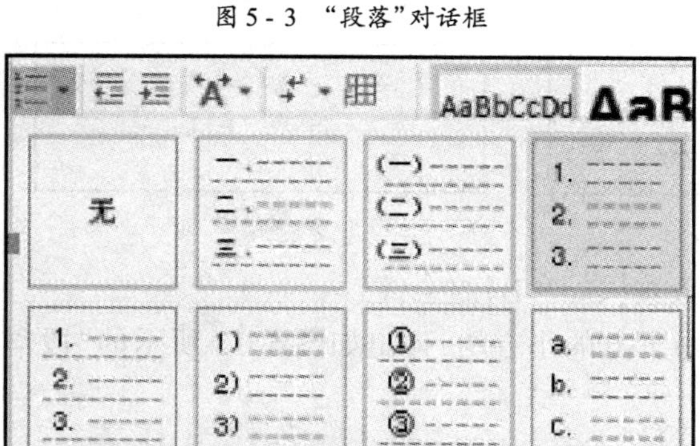

图 5 - 4 “编号”列表

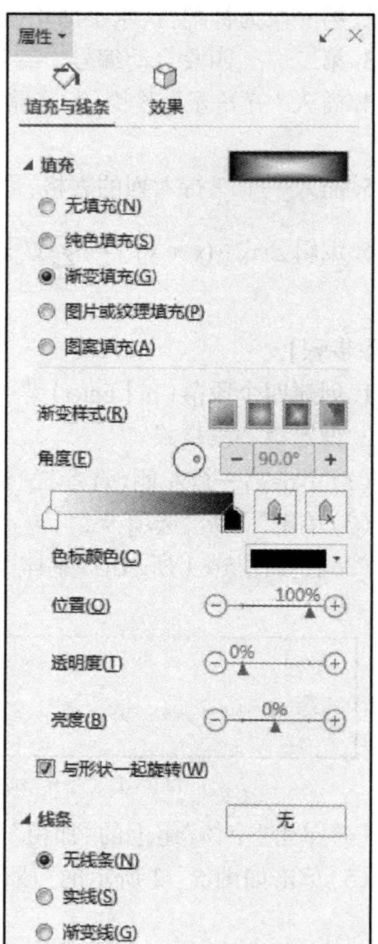

图 5 - 5 “填充与线条”面板

①单击“渐变填充”选项。

②单击“渐变样式”右侧第四个图标(路径渐变)。

③删除多余的光圈,只保留第一个和最后一个光圈(单击光圈右侧的“删除渐变光圈”按钮可删除选择的光圈)。

④单击左侧的光圈,再单击“色标颜色”右侧的颜色块,在弹出的选项中单击白色色块。

⑤单击右侧的光圈,再单击“色标颜色”右侧的颜色块,在弹出的选项中单击红色色块。

(8)展开“线条”项,单击“无线条”选项。

(9)选择五角星,单击“绘图工具”选项卡中的“环绕”图标,如图 5 - 6 所示,在弹出的列表中单击“四周型环绕(S)”。

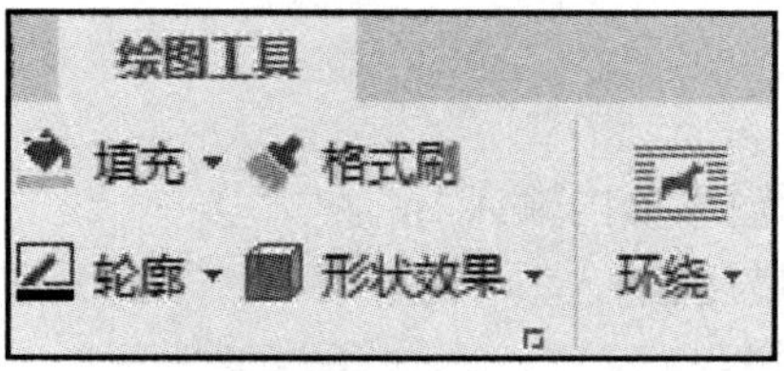

图 5 - 6 绘图工具

图 5 - 7 “图表”组

5. 插入一个三行六列的表格。

(1)单击“插入”选项卡。

(2)单击如图 5 - 7 所示的“图表”组中的“表格”命令。

(3)在文档中按下鼠标左键并拖动鼠标,绘制出一个三行六列的表格。

6. 表格的最后一列合并。

(1)将光标移到最后一列的正上方。

(2)当鼠标指针变为粗黑的向下箭头时右击鼠标。

(3)单击弹出菜单的“合并单元格(M)”命令。

7. 第一行第一列插入表格斜线(\)。

(1)右击第一行第一个单元格。

(2)单击弹出菜单中的“边框和底纹(B)...”命令,显示窗口如图 5 - 8 所示。

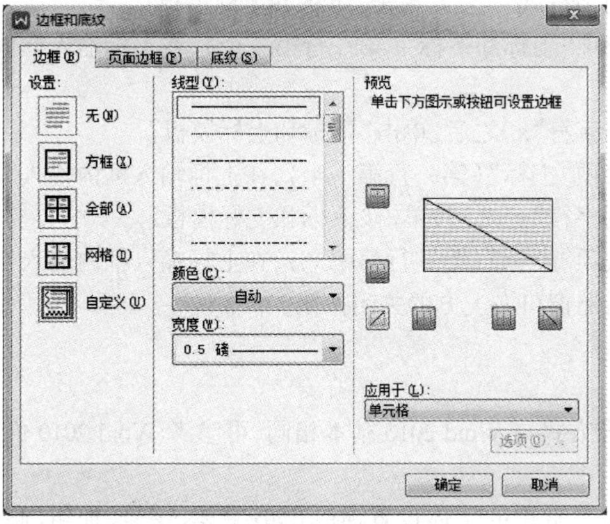

图 5 - 8 “边框和底纹”菜单

(3)单击“边框(B)”选项卡。

(4)在“应用于(L)”下方的列表中单击“单元格”列表项。

(5)单击“斜线(\)”按钮。

(6)单击“确定”按钮。

8. 编辑公式。

(1)单击“插入”选项卡。

(2)单击“插入公式”命令(第四组第二个图标),弹出如图 5 - 9 所示的“公式编辑器”窗口。

(3)在“公式编辑器”窗口中完成以下操作:

①在输入框内输入“(x + y)”。

②单击“下标和上标模板”(第二行第三组)。

③单击下拉列表项“上标”(第一行第一个),在上标输入框内输入“n”。

④在输入框最右侧单击,使插入点移到整个输入行最后,输入“ = ”。

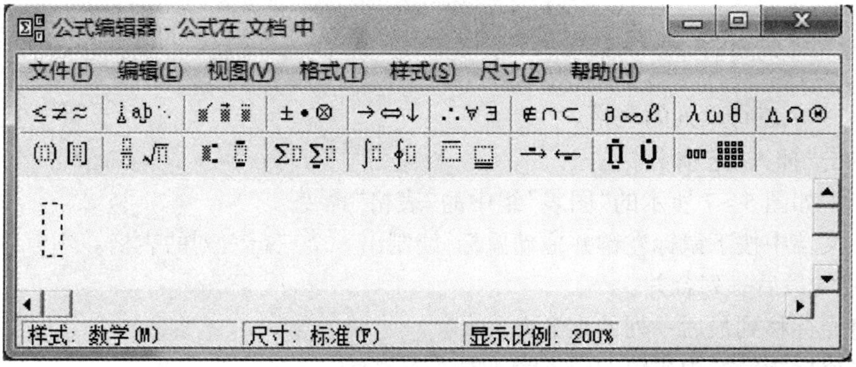

图 5 - 9 公式编辑器

⑤单击“求和模板”(第二行第四组)。

⑥单击下拉列表项“带中上标和中下标极限的求和符”(第一行第三个)。

⑦在下标输入框内输入“k = 0”,上标输入框内输入“n”,中标输入框内输入“Cxy”。

⑧将插入点移到字符“C”之后,单击“下标和上标模板”。

⑨单击下拉列表项“上标和下标”(第一行第三个),在下标输入框内输入“n”,上标输入框内输入“k”。

⑩将插入点移到字符“x”之后,单击“下标和上标模板”。

⑪单击下拉列表项“上标”(第一行第一个),在上标输入框内输入“k”。

⑫将插入点移到字符“y”之后,单击“下标和上标模板”。

⑬单击下拉列表项“上标”(第一行第一个),在上标输入框内输入“n - k”。

⑭单击公式编辑器窗口右上方的关闭按钮。

【特别提示】

1. WPS 文字处理方式与 Word 2010 基本相同,可参考 Word 2010 的操作方法在 WPS 中完成文字处理。

2. “字体”组提供了常用的字体设置命令(如:字体、字号、加粗、倾斜、下划线、删除线、着重号、上下标、文字效果、字符颜色、字符底纹)。单击组右下角的小方块,弹出“字体”对话框,在该对话框中,可以设置各类字体格式(如:下划线类型、字符缩放、间距、位置、文本效果)。

3. “段落”组提供了常用的段落格式设置命令(如:项目符号、编号、对齐方式)。单击组右下角的小方块,弹出“段落”对话框,在该对话框中,可以设置各类段落格式(如:缩进、段前间距、段后间距、行距)。

4. 绘制形状时,按下【Shift】键并拖动形状边角上的小方块,可按固定的长宽比缩放形状。

5. 选择表格后,会显示以下两个选项卡:

(1)“表格工具”选项卡。在该选项卡中可以设置表格的对齐方式、是否文字环绕、行高、列宽、单元格垂直对齐方式、边框和底纹、绘制或擦除表格边线、合并或拆分单元格、输入公式计算单元格数据等。

(2)“表格样式”选项卡。在该选项卡中可直接使用内置的表格样式快速设置表格格式。

6. 绘制斜线表头有以下两种操作方法:

(1)利用“边框和底纹”命令。

(2)利用“表格样式”选项卡中的“绘制斜线表头”命令。

7. WPS 的公式编辑功能与 Word 2010 中的 Microsoft 公式相同。在 Word 2010 使用“公式”命令编辑的公式不能在 WPS 中编辑。

8. WPS 特色功能简介:

(1)云服务。由“云服务”选项卡提供,主要功能包括以下几点:

①创建云文档。支持多人同编辑,多终端实时同步。

②PDF 转 Word。将 PDF 格式的文件转换为 Word 格式的文件。

③图片转文字。可直接通过扫描仪、图片或 PDF 文件读取文本。

④文档修复。快速修复乱码、无法打开的文件。

⑤朗读。可对选择的文本或全文朗读,支持语音输出。

⑥划词翻译。开启该功能后,对选择的文本直接显示翻译结果。

(2)数据恢复。在保存文档时弹出的“保存”窗口左下角,单击“数据恢复大师”按钮,可打开金山数据恢复大师,可恢复误删除的文件、误格式化的硬盘、误清空的回收站、硬盘分区消失。也可恢复 U 盘、手机卡和相机卡上的数据。

9. 尽管没有登录账号也可以使用 WPS,但 WPS 会员可以使用更多 WPS 功能和素材资源。按以下步骤可以注册成为 WPS 会员。

(1)申请一个登录账号。

①启动 WPS。

②在窗口标题栏上单击“未登录”,显示如图 5 - 10 所示的登录界面。

③单击“其他方式登录”。

④单击“快速注册”,在弹出的注册窗口中输入注册信息并设置登录密码。建议注册时设置手机号码,以方便微信扫码登录。

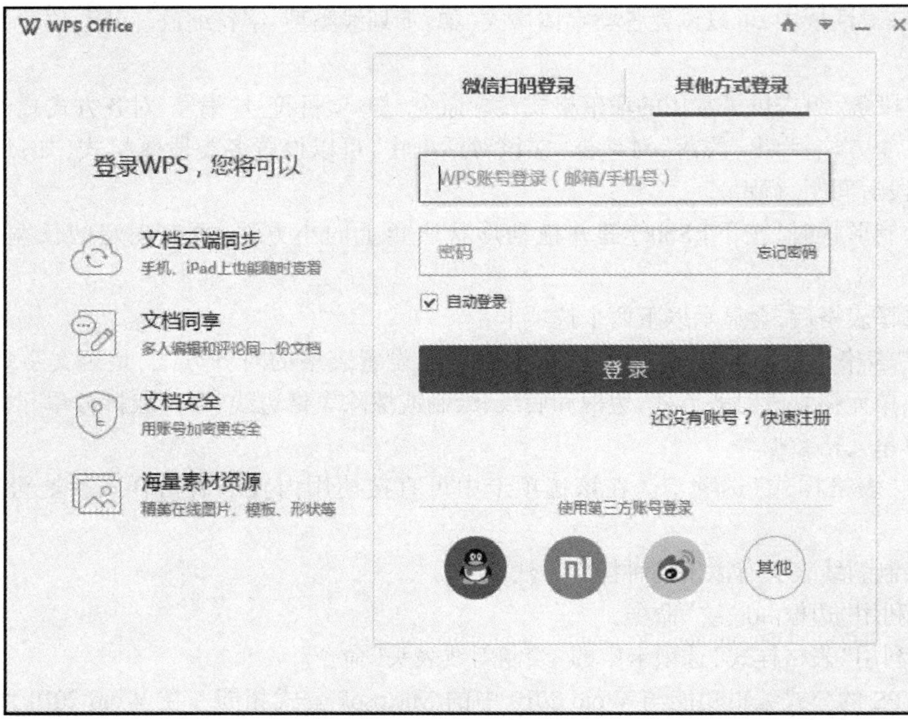

图 5 - 10　WPS 登录界面

(2)登录 WPS(既可以用申请的账号登录,也可以选择微信扫描或第三方账号登录)。

(3)升级 WPS 会员。登录后,将鼠标移到标题栏上的账户图标之上,稍等片刻,再单击弹出菜单的“升级会员”命令,在弹出的窗口中可以选择升级会员的方式(支付购买或做任务)。

任务 2:WPS 表格处理

【任务描述】

创建 D:\wpsRW2.et 文档,并完成以下操作:

1. 如图 5 - 11 所示,在 Sheet1 工作表中输入数据并设置边框格式。

	A	B	C	D	E	F	G	H
1								
2		学号	姓名	VB	高数	英语	总评	名次
3		20160001	张1	37	48	65		
4		20160002	张2	66	60	69		
5		20160003	张3	35	45	65		
6		20160004	张4	79	54	61		
7		20160005	张5	82	76	70		
8		20160006	张6	69	56	73		
9		20160007	张7	62	49	70		
10		20160008	张8	79	81	59		
11		20160009	张9	43	64	84		
12		20160010	张10	77	87	58		
13		不及格人数						

图 5 - 11　工作表样图

2. 利用公式计算总评(四舍五入保留一位小数点)、名次(按总分),并统计各门课程的不及格人数。

3. 三门课程的成绩只能输入【0,100】上的整数。

4. 生成如图 5 - 12 所示的图表。

5. 筛选出各课程均及格的学生信息。

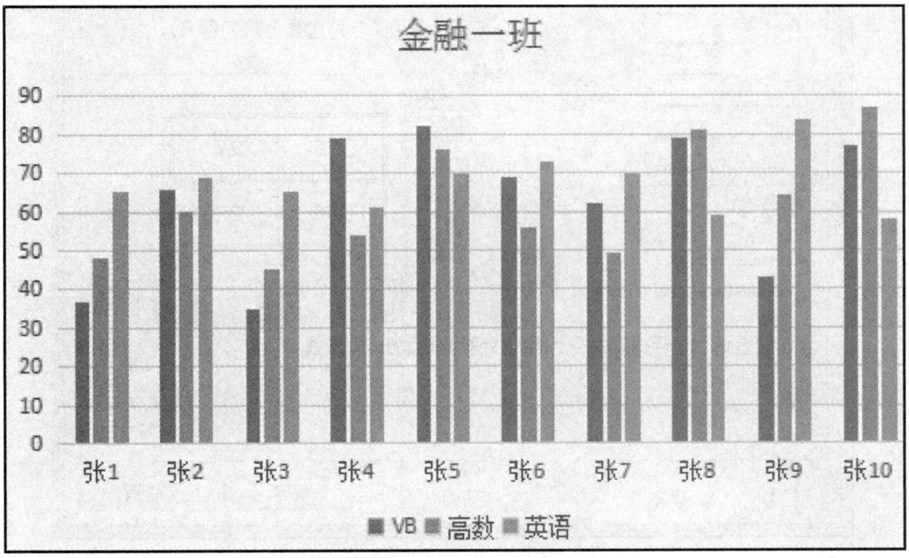

图 5 - 12　生成的图表样图

【操作步骤】

1. 启动 WPS 表格。

(1)单击 Windows“开始”菜单按钮。

(2)单击“所有程序”。

(3)单击“WPS Office”。

(4)单击“WPS 表格”。

2. 输入数据。

(1)直接通过键盘输入数据。

(2)“学号”列可利用序列填充快速输入:先在 B3 单元格输入第一个学号,再向下拖 B3 单元格的填充柄(选择区域右下角)至第 12 行。

(3)“姓名”列可利用序列填充快速输入:先在 C3 单元格输入第一个姓名,再向下拖 C3 单元格的填充柄至第 12 行。

(4)B13 和 C13 单元格需合并后输入“不及格人数”。合并方法:选择这两个单元格后,单击“开始”选项卡中的“合并居中”命令。

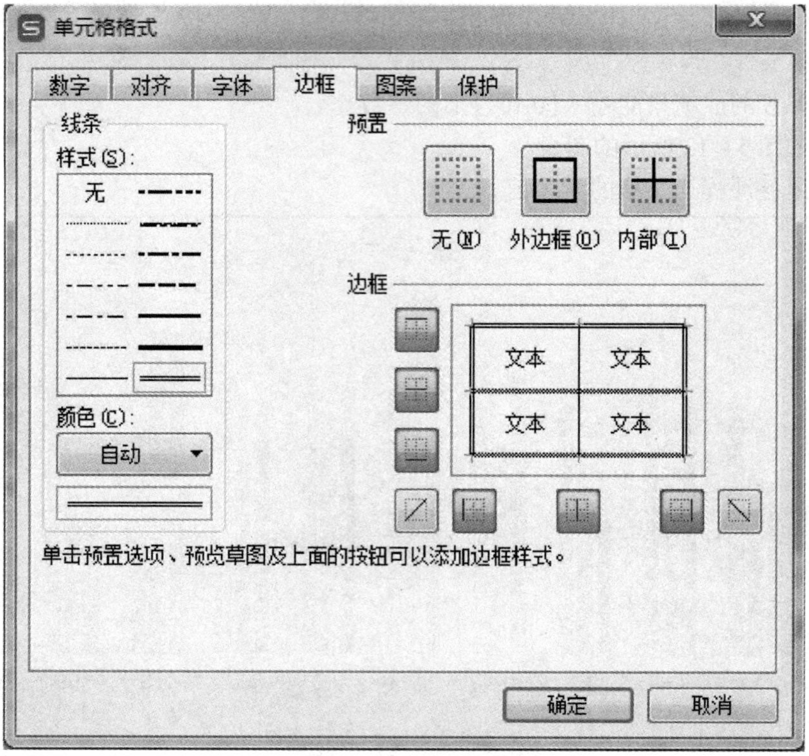

图 5 - 13 “单元格格式”对话框

3. 绘制表格线。

(1)选择 B2:H12 区域。

(2)右击选择区域,单击弹出菜单的“设置单元格格式(F)...”命令(快捷组合键【Ctrl + 1】)。

(3)在弹出的如图 5 - 13 所示的窗口中单击“边框”选项卡。

(4)选择“线条样式”为双线(第二列最后一个)后单击“外边框(O)”。

(5)选择“线条样式”为单线(第一列最后一个)后单击“内部(I)”。

(6)单击“确定”按钮。

(7)类似的方法设置区域 B13:G13 的表格线。

4. 计算总评成绩。

(1)在 G3 单元格输入公式:=Round(Average(D3:F3),1)。

(2)选择 G3 单元格,向下拖其填充柄至 G12 单元格。

5. 计算名次。

(1)在 H3 单元格输入公式:=RANK(G3,$G$3:$G$12,0)。

(2)选择 H3 单元格,向下拖其填充柄至 H12 单元格。

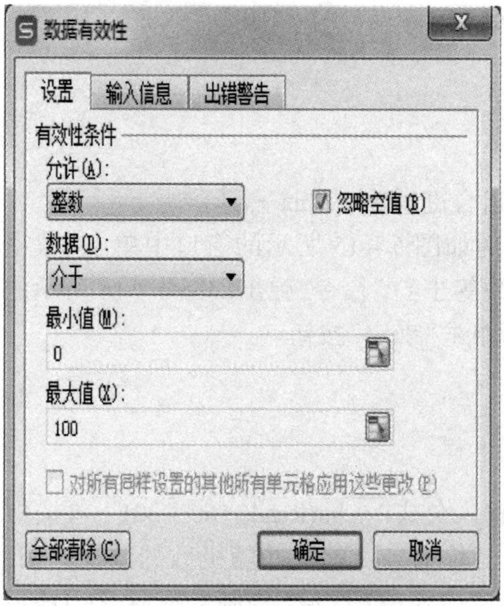

图 5-14　“数据有效性”对话框

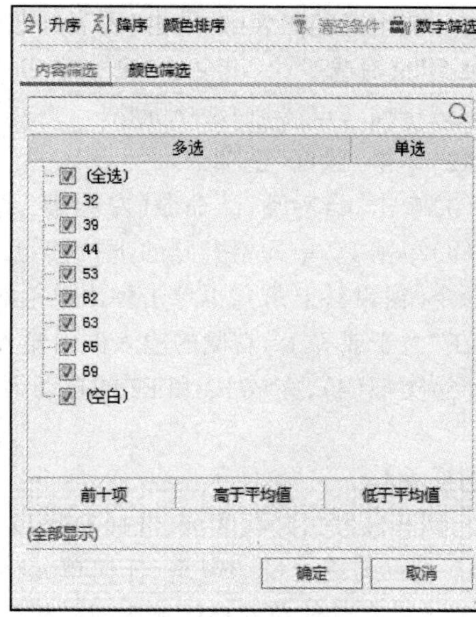

图 5-15　“内容筛选”对话框

6. 统计不及格人数。

(1)在 D13 单元格输入公式：=COUNTIF(D3:D12,"<60")。

(2)选择 D13 单元格，拖其填充柄至 G13 单元格。

7. 控制三门课程的成绩输入。

(1)选择单元格区域 D3:F12。

(2)单击“数据”选项卡。

(3)单击“有效性”命令，弹出如图5-14所示的“数据有效性”对话框。

(4)在“允许(A):”下方的列表项中选择“整数”。

(5)在“数据(D):”下方的列表项中选择“介于”。

(6)在“最小值(M):”下方的输入框内输入：0。

(7)在“最大值(X):”下方的输入框内输入：100。

(8)单击“确定”按钮。

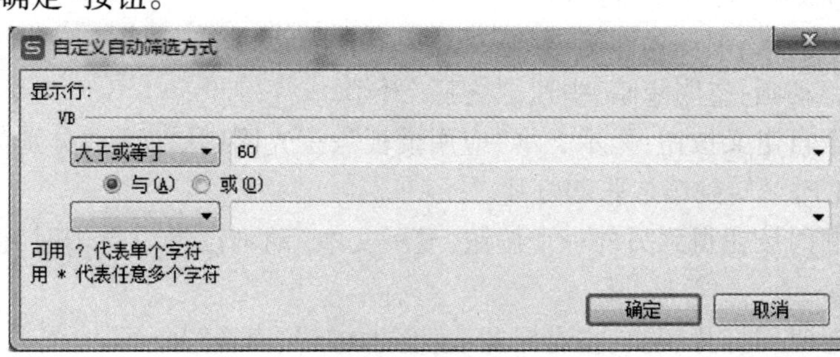

图 5-16　“自定义自动筛选方式”对话框

8. 生成图表。

(1)选择单元格区域C2:F12。

(2)单击“插入”选项卡。

(3)单击“图表”命令，打开“插入图表”对话框，在该对话框中，选择“簇状柱形图”后单击“确定”按钮。

(4)在生成的图表中,单击“图表标题”,将其文本修改为“金融一班”。

9. 记录筛选。

(1)将插入点移到 B2 单元格。

(2)单击“数据”选项卡。

(3)单击“自动筛选”命令(左侧第二个,快捷组合键【Ctrl + Shift + L】)。

(4)单击 D2 单元格右侧的下拉按钮,在弹出的如图 5 - 15 所示的窗口中单击“数字筛选”命令(窗口右上角),再单击弹出菜单的“大于或等于(O)”命令,弹出如图 5 - 16 所示的窗口。在“大于或等于”右侧的输入框内输入“60”后单击“确定”按钮。

(5)类似(4),完成 E2 和 F2 的自动筛选设置。

【特别提示】

1. 课程成绩可随机生成:选择 D3:F12 区域后输入公式“ = Int(Rand()* 60 + 30)”,再按【Ctrl + Shift + Enter】组合键。但是,任何单元格的数据变化均会引起这些随机数的改变。因此,可以考虑先在其他单元格区域生成随机数,再复制到 D3:F12 区域(复制数据后,在 D3 单元格右击鼠标,再单击弹出菜单的“粘贴为数值(V)”命令)。

2. 利用“高级筛选”,可筛选出满足更为复杂的条件的记录。其使用方法与 Excel 2010 完全相同(在“数据”选项卡中,单击第二组区域右下角的小方块,可弹出“高级筛选”对话框)。

任务 3:WPS 演示文稿的制作

【任务描述】

创建 D:\wpsRW3.dps 文档,并完成以下操作:

1. 导入模板:daily_loose_leaf binder.dat。

2. 设计三张幻灯片。

3. 第一张幻灯片,具体要求如下:

(1)版式:标题幻灯片。

(2)标题:WPS 演示文稿的制作。

(3)标题进入动画:渐变式回旋、中速、“之后”开始。

(4)标题强调动画:忽明忽暗、中速、“之后”开始。

(5)插入一个自定义按钮:显示文本“应用模板”;三光圈(从左到右分别为黄、绿、蓝)向下线性渐变;单击时跳转到第二张幻灯片。

(6)复制上面的按钮得到另外一个按钮:显示文本“动画设置”;单击时跳转到第三张幻灯片。

(7)单击鼠标时幻灯片切换:左右展开、速度“00.75”、声音“风铃”。

4. 第二张幻灯片,具体要求如下:

(1)版式:仅标题。

(2)标题:应用模板。

(3)标题进入动画:菱形、方向“外”、中速、“之后”开始。

(4)单击鼠标时幻灯片切换:扇形展开、速度“00.75”、声音“照相机”。

5. 第三张幻灯片,具体要求如下:

(1)版式:仅标题。

(2)标题:动画设置。

(3)标题进入动画:自左侧飞入、慢速、“单击时”开始。

(4)将第一张幻灯片的按钮复制一个:显示文本“结束”。单击时结束放映。

【操作步骤】

1. 启动 WPS 演示。

2. 在“我的 WPS”页面“编辑推荐”区上单击“空文档”,创建一个空白文档。

3. 导入模板。

(1)单击“开始”选项卡。

(2)单击“导入模板”命令,弹出如图 5 - 17 所示“应用设计模板”的窗口。

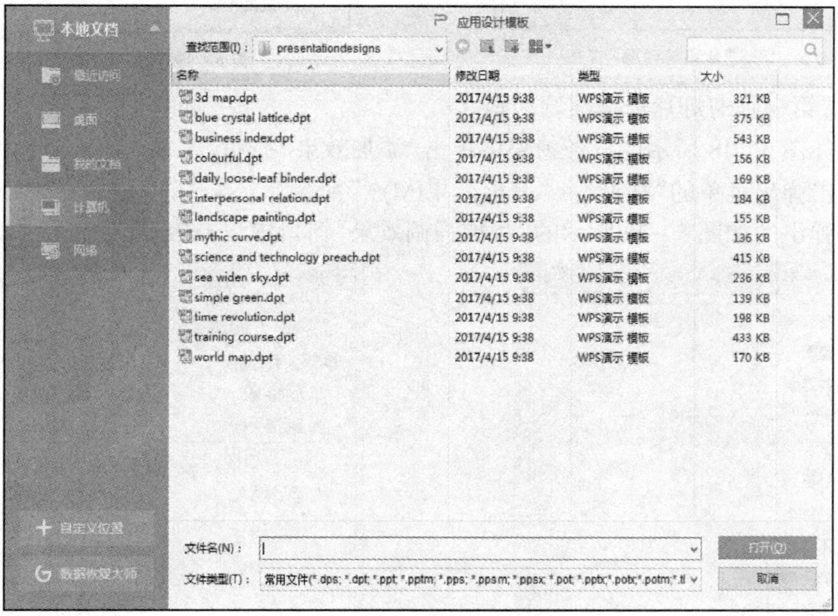

图 5 - 17　“应用设计模板”窗口

(3)在窗口的文件列表中双击“daily_loose_leaf binder.dat”。

4. 设置第一张幻灯片的版式。

(1)单击“开始”选项卡。

(2)单击“版式”命令。

(3)单击“母版版式”选项卡中的第一个列表项。

5. 输入第一张幻灯片的标题:在幻灯片编辑区,单击“单击此处添加标题”输入框,输入文本:WPS 演示文稿的制作。

6. 设置第一张幻灯片标题的进入动画。

(1)在标题输入框边线上右击鼠标。

(2)单击弹出菜单的“自定义动画(M)...”命令(执行该命令后,在 WPS 应用程序窗口右侧会显示任务窗格,如图 5 - 18 所示)。

(3)单击“添加效果”按钮,弹出如图 5 - 19 所示的窗格。

(4)单击图 5 - 19 的“进入”→“渐变式回旋”命令。

(5)在如图 5 - 18 所示的任务窗格中,在“开始:”右侧列表中单击“之后”列表项,在“速度:”右侧列表中单击“中速”列表项。

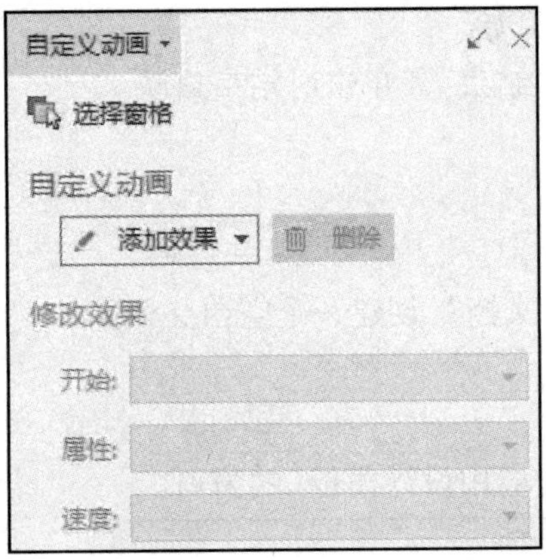

图 5 - 18 “自定义动画”窗格

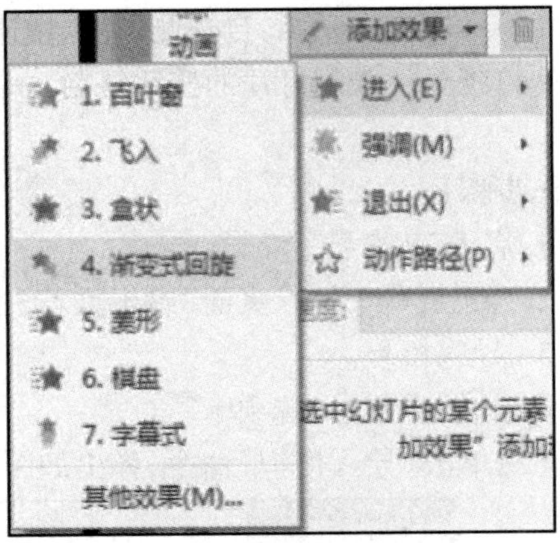

图 5 - 19 添加动画效果

7. 设置第一张幻灯片标题强调动画。

(1)在如图 5 - 18 所示的任务窗格中单击“添加效果”按钮。

(2)单击弹出菜单的“强调”→“其他效果(M)...”命令。

(3)在弹出的如图 5 - 20 所示的“添加强调效果”窗口中双击“忽明忽暗”列表项。

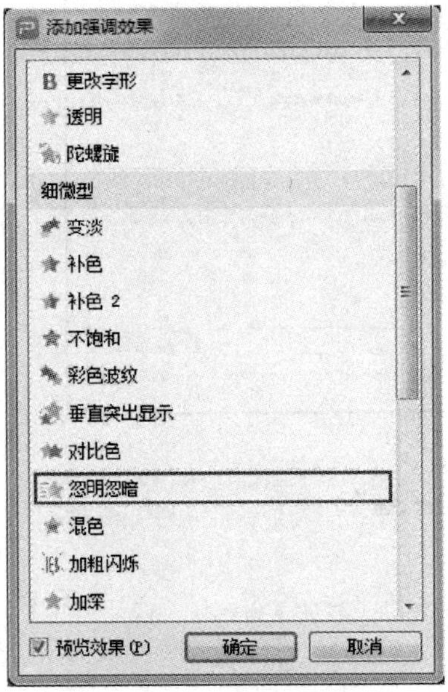

图 5 - 20 “添加强调效果”窗口

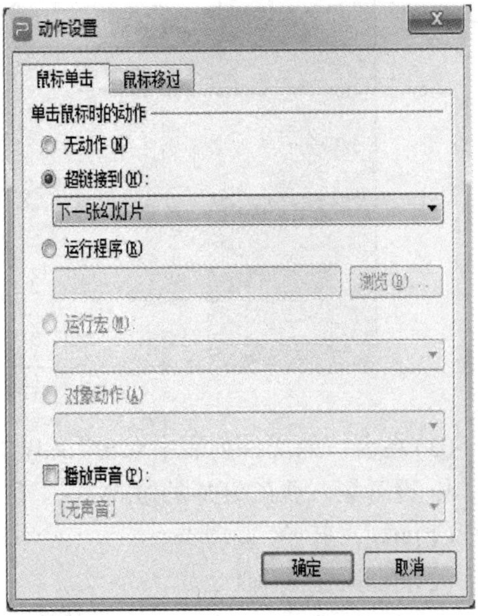

图 5 - 21 “动作设置”窗口

(4)在如图 5 - 18 所示的任务窗格中,在“开始:”右侧列表中单击“之后”列表项,在“速度:”右侧列表中单击“中速”列表项。

8. 在第一张幻灯片中插入自定义按钮。

(1)单击“插入”选项卡。

(2)单击“形状”命令。

(3)在弹出的列表中,单击“动作按钮”类别区域的“动作按钮:自定义”。

(4)在幻灯片编辑区域按下鼠标左键并拖动,画出一个适当大小的按钮。松开鼠标,弹出“动作设置”窗口,如图 5 - 21 所示。

(5)在动作设置窗口的“鼠标单击”选项卡中单击“超链接到(H):”选项，并在其下方的列表中选择“下一张幻灯片”列表项。

(6)单击“确定”按钮关闭“动作设置”窗口。

9. 设置动作按钮显示的文本。

(1)右击动作按钮。

(2)单击弹出菜单的“编辑文字(X)”命令(这时按钮区域会显示插入点)。

(3)在按钮文本输入区输入:应用模板。

10. 自定义按钮渐变填充。

(1)右击按钮。

(2)单击弹出菜单的“设置对象格式(O)...”命令。

(3)在任务窗格(WPS 窗口右侧)中完成以下设置如图 5 - 22 所示:

①“填充”项选择“渐变填充(G)”。

②单击“渐变样式(R)”右侧的“线性渐变”按钮(左起第一个)。

③单击弹出列表中的“向下”色块(第一行第二个)。

④单击左侧第一个光圈，在“色标颜色”右侧的列表中选择黄色。

⑤单击左侧第二个光圈，“色标颜色”选择绿色，“位置”为 50%。

⑥单击左侧第三个光圈，再单击右侧的“删除渐变光圈”按钮。

⑦单击最后一个光圈，“色标颜色”选择蓝色。

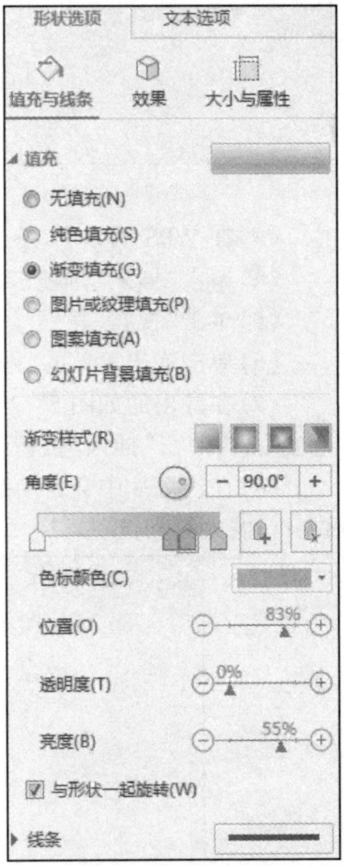

图 5 - 22　渐变填充选项

另外两个动作按钮的设置请参考上面的操作完成。

11. 设置第一张幻灯片的切换方式。

(1)在任务窗格左侧，单击“切换”图标。

(2)在切换效果列表中，单击“中央向左右展开”项。

(3)“速度:”修改为“00.75”。

(4)“声音:”选择“风铃”列表项。

(5)“换片方式”选择“单击鼠标时”。

12. 插入第二张幻灯片。

(1)将鼠标移到如图 5 - 23 所示的“大纲”栏的第一张幻灯片的缩略图上。

(2)单击“新建幻灯片”命令(就是幻灯片缩略图右下角的加号图标)。

(3)在弹出的列表中单击“本机版式”选项，在“母版版式”区域，双击第二行第三个列表项。

13. 参考前面的操作完成第二、三张幻灯片的设计。

【特别提示】

1. 在“设计”选项卡中单击“更多设计”命令，可以选用在线设计方案。但需登录后使用，且绝大部分需要付费。

2. 插入幻灯片时，如果选用其他设计方案的版式，则幻灯片母版也会应用该设计方案的母版。

3. 可在幻灯片上插入网络视频。主要操作步骤如下：

（1）在浏览器中右击正在播放的视频。

（2）单击弹出菜单的“复制页面地址”命令（或在播放窗口中单击“分享”按钮，再单击“复制播放器地址”或“复制页面地址”命令，如图5-24所示。）

图5-23 大纲栏

图5-24 分享网络视频

（3）在WPS演示中，选择需插入网络视频的幻灯片。

（4）单击“插入”选项卡。

（5）单击“视频”按钮。

（6）单击弹出菜单的“网络视频(W)”命令。

（7）在弹出的如图5-25所示的“插入网络视频”对话框底部输入框内粘贴前面复制的地址后，再单击“插入”按钮。

（8）在幻灯片中会自动播放视频。单击幻灯片空白处可停止播放。这时可适当调整播放窗口的大小和位置。

图5-25 “插入网络视频”对话框

（9）经过以上设置，在幻灯片播放时，插入的网络视频会显示一个如图5-26所示的图标，需单击这个图标才能播放视频。如果需要在幻灯片播放时自动播放视频，需继续以下设置：

①右击视频图标。

②单击弹出菜单的“自定义动画(M)...”命令。

③在如图 5 - 27 所示的“任务窗格”中右击“onlinevideo”。

④单击弹出菜单的“计时(T)...”命令。

⑤在弹出的如图 5 - 28 所示的窗口中,单击“部分单击序列动画(A)”选项。

图 5 - 26　放映时的视频图标

⑥在“开始(S):”右侧的列表中选择“之后”。

⑦单击“确定”按钮。

4. 可使用手机遥控演示文稿的播放。主要操作步骤如下:

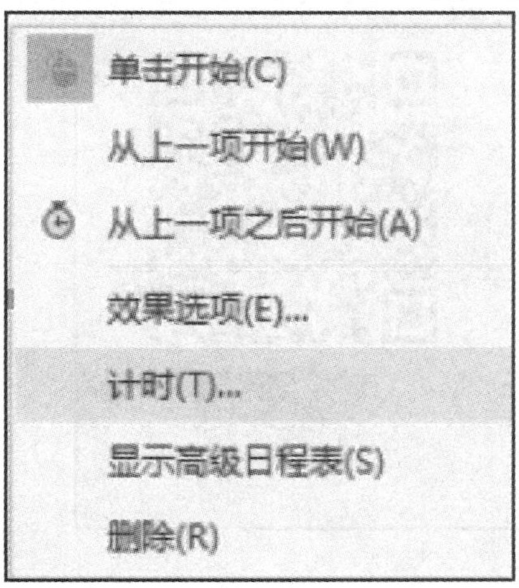

图 5 - 27　动画的右击菜单

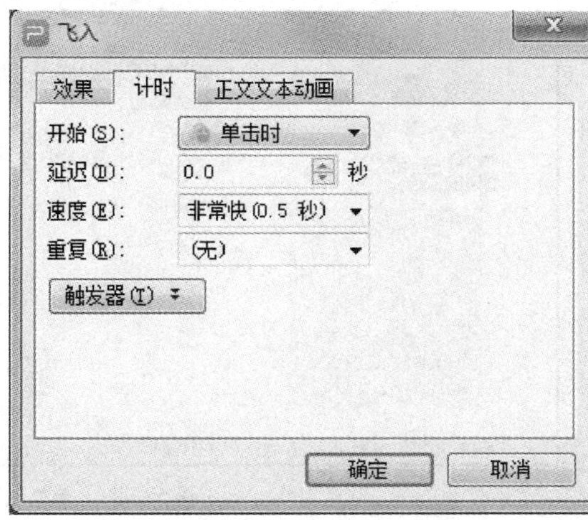

图 5 - 28　“计时”选项卡

(1)关注微信公众号“WPS 办公助手”。可通过以下步骤进行:

①打开 WPS 演示。

②单击“云服务”选项卡。

图 5 - 29　“手机遥控”对话框 1

③单击“手机遥控”命令,在弹出的如图 5 - 29 所示的窗口中单击“投影教程”。

④在弹出的如图 5 - 30 所示的窗口中,使用手机微信扫描二维码。

另外,在登录 WPS 的窗口也可使用微信扫描关注。

(2)启用手机遥控。在 WPS 演示的“幻灯片放映”选项卡中,单击“手机遥控”命令,弹出如图 5 - 29 所示的窗口。

(3)手机遥控 PPT 的播放。操作步骤如下:

①在手机上打开微信,进入“WPS 办公助手”。

②单击“实用工具”(屏幕下方)弹出菜单的“遥控 PPT”命令。

③单击“扫一扫”(手机屏幕下方),扫描如图 5 - 29 所示的二维码,即可遥控 PPT 演示。

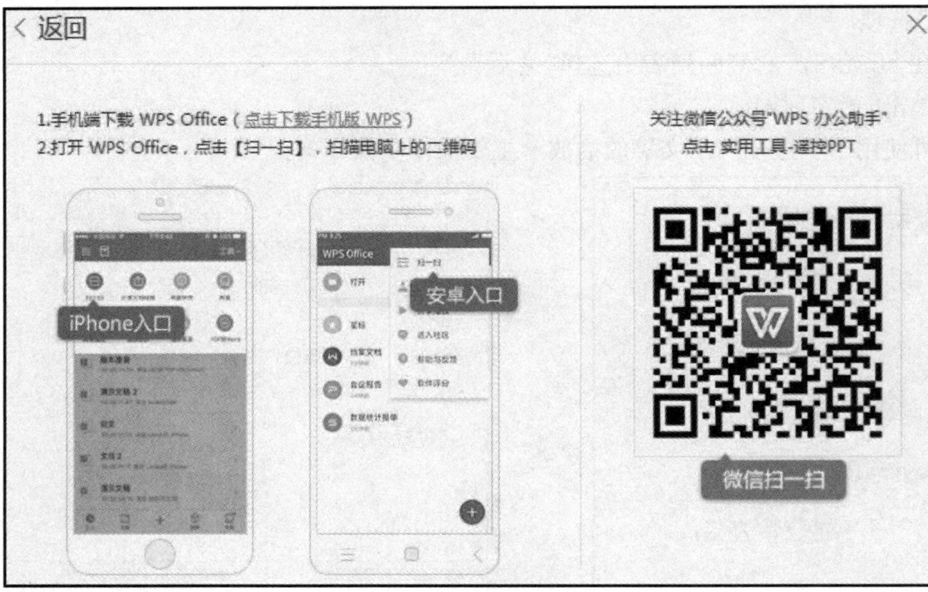

图 5 - 30 “手机遥控”对话框 2

第二节 拓展性实验

任务 1:生成二维码

【任务描述】

创建 D:\wpsTZ1. wps 文档,并完成以下操作:

1. 按网址“http://tv.sohu.com/20170329/n485290171.shtml”生成二维码。

2. 根据姓名、电话、单位、地址生成二维码。

【特别提示】

1. 在 WPS 文字、WPS 表格和 WPS 演示的“插入”选项卡中均提供了“二维码”命令,执行该命令可打开如图 5 - 31 所示的“插入二维码”对话框。操作要点如下:

(1)选择二维码的类别。支持文本、名片、WiFi 和电话四种类别。在“插入二维码”窗口左侧有四个图标,单击即可选择类别。

(2)根据选择的类别,“插入二维码”窗口会显示不同的输入信息界面,进行相应信息的输入即可。

(3)设置二维码的样式。支持“液态”“直角”和“圆角”三种样式,直接在“插入二维码”窗口中单击相应选项即可。

图 5 - 31　“插入二维码”窗口

(4)颜色设置。如图 5 - 32 所示,可以设置前景色(支持渐变)、背景色、定位点外框和内点的颜色。设置渐变时,需指定渐变方式。

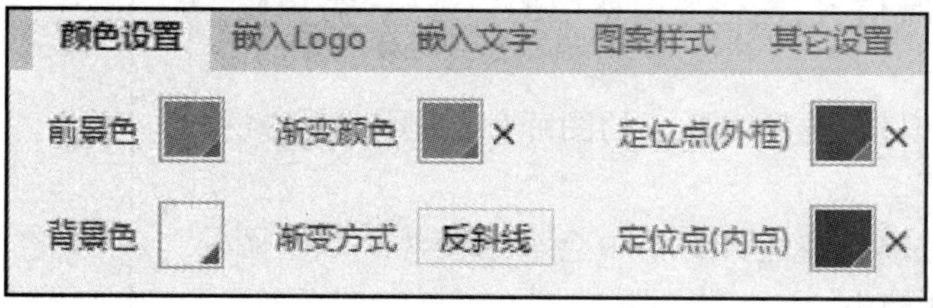

图 5 - 32　颜色设置

(5)嵌入 Logo。如图 5 - 33 所示,用于设置在二维码图案中间显示的图片。支持 jpg、gif、png、bmp 格式图片,但文件大小不能超过 20MB。

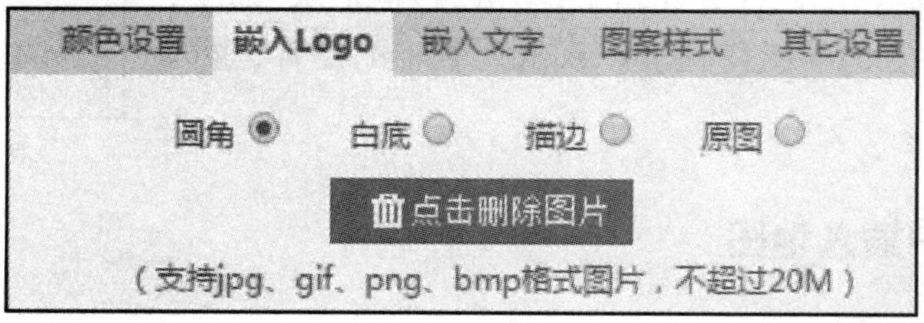

图 5 - 33　嵌入 Logo

(6)嵌入文字。如图 5 - 34 所示,用于设置在二维码图案中间显示的文字。

图 5 - 34　嵌入文字

(7)设置定位点样式。在“插入二维码”窗口中单击“图案样式”选项卡,在“定位点样式”列表中选择一种样式即可。

(8)在“插入二维码”窗口中单击“其他设置”选项卡,可以设置图片像素、旋转角度、外边框大小和纠错等级。

2. 可使用手机扫描二维码完成以下相应的操作或显示:

(1)如果二维码是同网址生成,则在手机端可打开相应网址。

(2)如果二维码是名片、电话号码等文本信息,则在手机上显示这些信息。

(3)如果二维码是 WiFi 信息,则可直接利用该 WiFi 设置创建网络连接。

任务 2:在文档中插入手机中的图片

【任务描述】

创建 D:\wpsTZ2. wps 文档,并在文档中插入手机中的图片。

【特别提示】

1. 在 WPS 文字、WPS 表格和 WPS 演示的“插入”选项卡“图片”列表中均提供了“来自手机(M)...”命令,执行该命令可在任务窗格中显示如图 5 - 35 所示界面。主要操作步骤如下:

(1)打开手机微信,扫描任务窗格中的二维码(需稍候,等待与手机连接)。

(2)在手机中操作:选择需插入的图片(最多可选择 20 张)后单击“上传图片”。

(3)如果上传成功,在任务窗格中会显示图片。双击图片,即可将其插入到文档中。

(4)必要时,可在任务窗格中单击“重新获取二维码”按钮,重新在手机上上传图片。

2. 在如图 5 - 35 所示的任务窗格中,单击“传输记录”命令,可显示已经从手机上传的图片列表。双击列表中的图片,也可将其插入到文档中。

图 5 - 35 任务窗格

任务 3:在文档中插入地图

【任务描述】

创建 D:\wpsTZ3. wps 文档,并插入长沙市 7 路公交线地图。

【特别提示】

1. 在 WPS 文字、WPS 表格和 WPS 演示的“插入”选项卡中,均提供了“地图”命令。执行该命令后弹出“插入地图”对话框。在该对话框中可进行以下操作:

(1)在“城市”列表中选择城市。

(2)在搜索输入框内输入搜索条件。可以按地点、查公交、找路线。

(3)在窗口中拖动鼠标可移动地图;上下滚动鼠标滑轮可缩放地图。

(4)单击“确定”按钮,即可将搜索到的地图插入到文档中。

2. WPS Office 手机版也可创建 WPS 文字、WPS 表格、WPS 演示和便笺。关注微信公众号“WPS 办公助手”后,即可通过其“实用工具”中的“下载手机版”命令,将 WPS Office 手机版下载到手机。

任务 4:WPS H5 应用

【任务描述】

使用 WPS H5 制作表单画册。具体要求如下:

1. 应用“表单”版式,各输入项均为必填项。
2. 设置画册标题:VB 课外学习小组。
3. 设置画册描述:学海无涯。
4. 去掉尾页。
5. 更换封面,如图 5 - 36 所示。

图 5 - 36　画册样图

【特别提示】

1. WPS H5 秀堂是金山 WPS 推出的 H5 页面快速制作工具,具有以下几个方面的特点:

(1)支持多浏览器,在手机和微机上均能达到最佳的体验。

(2)需登录后使用,对每一步操作进行实时保存(保存在 WPS 秀堂“我的画册”中,不能保存到本地计算机)。

(3)支持竖屏(一般用于手机浏览)和横屏(用于电脑播放),兼容市场主流手机尺寸和机型,能自适应屏幕尺寸。

(4)支持表单功能,可查看用户提交的数据。

(5)模板丰富,设计快捷。

2. 登录 WPS 秀堂后,可查阅 WPS 秀堂视频教程和帮助信息,浏览和应用热门画册。

3. WPS 秀堂应用的一般操作步骤如下:

(1)启动 WPS 秀堂。在 WPS 文字、WPS 表格和 WPS 演示程序中,均可通过“云服务”选项卡中的“秀堂 H5”命令启动 WPS 秀堂。或通过 Windows 的“开始”菜单“所有程序”→“WPS Office”→“WPS H5”命令启动。

(2)登录 WPS 秀堂。可使用以下任何一种方式登录 WPS 秀堂:

①小米账号(可用手机客户端扫描二维码)。

②QQ 账号(可用手机客户端扫描二维码)。

③微信账号(可用手机微信扫描二维码)。

④使用校园邮账号。

⑤使用 WPS 账号(可用手机客户端扫描二维码)。

(3)创建空白画册。登录成功后,H5 秀堂会显示“热门画册”界面。单击屏幕中心的“创建空白画册”,弹出如图 5 - 37 所示窗口,根据应用的需要选择“竖屏”(用于手机)或“横屏”(用于电脑)。如果需要对已制作的画册进行编辑修改,则可在 WPS 秀堂中单击“我的画册”选项卡,再单击画册上的“编辑”按钮。

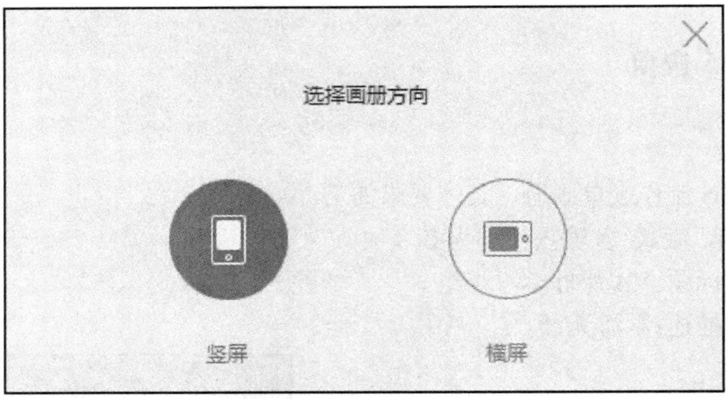

图 5 - 37 选择画册方向

(4)使用秀堂提供的版式为各页设置基本的风格和显示元素。

(5)为各页的显示元素设置格式、动画效果。

(6)设置画册的标题、封面、场景开关(在秀堂工具栏上单击“更多”→“设置”命令,可弹出如图 5 - 38 所示的设置界面)。

图 5 - 38 设置参考

(7)幻灯片播放、发布画册(在秀堂工具栏上单击“预览/发布”按钮)。在弹出的窗口中,既可以浏览画册的播放效果,也可以单击“发布”按钮,系统自动生成二维码(如图 5 - 39 所示)。

(8)将画册分享至社交圈。可以使用微信扫描二维码,直接在手机上浏览画册。

图 5 - 39　发布画册

4. 利用 WPS H5 秀堂的表单，可以收集与用户的交互信息。在画册页面上插入表单的方法有以下几种：

（1）应用预设表单。先在秀堂窗口左侧的“表单”列表项中选择一个需要应用的表单，必要时稍作修改即可应用。

（2）应用快捷表单。单击秀堂工具栏上的“表单”命令，直接选择快捷表单插入到当前页。可根据应用需要进行修改。

（3）自定义表单。单击秀堂工具栏的“表单”命令，再单击弹出列表项“自定义”，选择需要应用的表单即可。

（4）在页面上选择表单后，会弹出类似图 5 - 40 所示的窗口。在该窗口中，可以设置表单标题、确定表单项是否为必填项。

图 5 - 40　设置表单属性

图 5 - 41　浏览表单数据

5. 查阅表单的反馈数据。当浏览画册的用户单击“提交”按钮时，表单数据即自动上传到画册中。在秀堂中打开“我的画册”，将鼠标移到画册上方，再单击画册上显示的“表单数据”按钮，如图 5 - 41 所示，即可显示用户反馈的信息。

注意：当反馈的信息多于 10 条时，需单击信息浏览窗口下方的“下载”按钮，将信息数据（为 Excel 工作簿）保存到本地计算机后再浏览。

思考题

一、选择题

1. WPS 文字、WPS 表格和 WPS 演示均具有的功能是______。

A. 插入二维码　　B. 插入来自手机的图片

C. 插入地图　　D. 云服务

2. 在 WPS 中,能应用渐变填充的是______。

A. 文本　　B. 艺术字

C. 形状　　D. 文档背景

3. 登录 WPS 的方式有______。

A. 手机微信扫描二维码

B. 微博账号或微博客户端扫描二维码

C. QQ 账号或 QQ 手机版扫描二维码

D. WPS 账号、小米账号或 MIUI“我的小米”扫描二维码

4. 在 WPS 文档中插入表格后,利用“表格工具”和“表格样式”选项卡均能完成的操作是______。

A. 绘制表格线　　B. 插入新行

C. 合并单元格　　D. 表格转换为文本

5. 云服务的功能包括______。

A. 以链接方式将文档分享给朋友

B. 将 PDF 格式转为文本格式

C. 将图片中的文字转为文本格式

D. 即时语音提示

6. 下面关于云文档的说法中,正确的是______。

A. 云文档保存在本地计算机的特定文件夹中

B. 支持多人同时在一个文档里编辑与评论

C. 文件可以通过链接的方式发送给别人查看

D. 没有网络就无法使用云文档

7. 在 WPS 文字中,实现邮件合并功能的命令集位于______选项卡。

A. 邮件　　B. 引用

C. 插入　　D. 云服务

8. 在 WPS 文档插入的表格中,更新公式计算的单元格数据的方法是______。

A. 选择整个表格后按【F9】　　B. 选择公式所在单元格后按【F9】

C. 选择公式所在行后按【F9】　　D. 不需任何操作,WPS 能自动更新

9. WPS 生成的二维码类型有______。

A. 文本　　B. 名片

C. WiFi　　D. 电话

10. 下面有关 WPS H5 画册的描述中，正确的是______。

A. 画册存储在云端，没有网络无法编辑和浏览

B. 在"我的画册"中可浏览反馈的表单信息

C. 发布画册时会自动生成二维码，手机扫描该二维码，即可浏览画册

D. 画册支持竖屏和横屏，可在手机或电脑上浏览

二、填空题

1. 在 WPS 文档中选择插入表格时，表格右侧和下方均会显示一个带" + "符号的小色块。这个小色块的作用是______。

2. 在 WPS 文档中选择整个表格后按【Del】键，其作用是______。

3. 使用"邮件合并"功能时需先创建数据源。创建数据源最简单、最快捷的方法是______。

4. 在 WPS 表格中，公式" =SUMIFS(C2:C12,A2:A12,">=60",B2:B12,"2 班")"的作用是____________。

5. 在 WPS 文档中插入形状的默认环绕方式为____________。

6. 在 WPS 演示的"动画"选项卡中提供的主要功能是______。

7. 在 WPS 演示中，第一张幻灯片已应用设计方案 A。如果第二张幻灯片再应用另一个设计方案 B，则这时整个演示文稿的设计方案有______个。

8. WPS H5 画册可以使用______收集用户信息。

9. 使用手机遥控 WPS 演示文稿放映必须具备的条件是__________________________。

10. WPS Office 手机版可创建的文件类型有______。

三、操作题

1. 利用 WPS 文字完成以下操作：新建 D:\wz wps 文档，参考本教材的目录页创建文档目录。要求目录页不显示页码，正文部分在页脚从 1 开始显示页码（格式：第 X 页共 Y 页）。

2. 利用 WPS 文字完成第二章拓展性实验任务 4。

3. 利用 WPS 表格完成第三章拓展性实验任务 2。

4. 利用 WPS H5 创建一个有三页的邀请函。具体要求如下：

（1）第一页：为封面。显示"2017 年度程序设计大赛"。

（2）第二页：介绍大赛规则。

（3）第三页：报名表。包括：学校、参赛人数、联系电话。

附录　思考题参考答案

第一章　Windows 7 操作系统应用

一、选择题

1	2	3	4	5	6	7	8	9	10
D	ABCD	B	C	ABCD	ABD	AD	BD	AB	D
11	12	13	14	15	16	17	18	19	20
BC	ABCD	C	ABCD	AB	ABCD	ABD	ABC	A	ABC
21	22	23	24	25	26	27	28	29	30
CD	AB	A	ABC	A	ABCD	B	BCD	ABCD	ABCD
31	32	33	34	35	36	37	38	39	40
ABCD	ABCD	ABC	B	ABCD	C	ABD	AB	C	ABCD

二、填空题

1. 打开资源管理器
2. 在任务管理器中结束任务或终止进程
3. Shift
4. 还原到上一次的窗口大小状态
5. “网络”和“计算机”
6. Shift
7. 图片、视频、文档、音乐
8. “../ ”
9. “查看”
10. 在资源管理器中右击应用程序，再单击弹出菜单的“发送到…”→“桌面快捷方式”命令

三、操作题

1. 默认情况下，按下机箱电源按钮的操作是关机。如需修改默认设置，可按以下步骤

进行：

(1)右击 Windows 开始菜单按钮。

(2)在弹出的如图附 - 1 所示的窗口中，单击“电源按钮操作”右侧的下拉按钮。

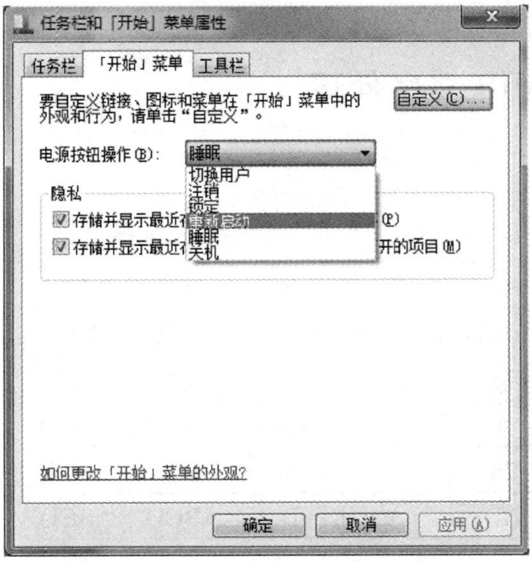

图附 - 1　“任务栏和「开始」菜单属性”窗口

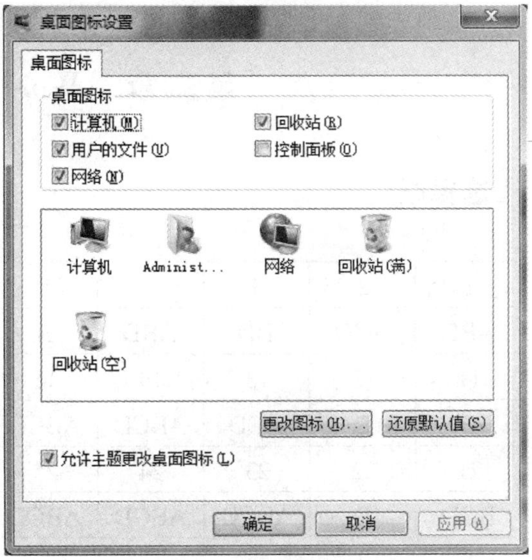

图附 - 2　“桌面图标设置”窗口

(3)在弹出的列表中单击“重新启动”选项。

(4)单击“确定”按钮。

2. 某台计算机上安装的打印机可为局域网内其他计算机使用，设置方法如下：

(1)在 Windows 桌面上右击“网络”图标。

(2)单击弹出菜单的“属性”命令。

(3)在弹出的窗口中，单击“更改高级共享设置”命令(在窗口左上部)。

(4)选择“启用文件和打印机共享”和“关闭密码保护共享”选项。

(5)单击“保存修改”按钮，关闭窗口。

3. 正在运行的程序会在任务栏上显示其图标。右击该图标，再单击弹出菜单的“将此程序锁定到任务栏”命令，即可将其锁定到 Windows 的任务栏。

4. 删除 Windows 桌面上的“计算机”图标后，可按以下步骤恢复：

(1)右击 Windows 桌面空白区域。

(2)单击弹出菜单的“个性化(R)”命令。

(3)在弹出的窗口中，单击“更改桌面图标”命令(在窗口左上部)。

(4)在弹出的如图附 - 2 所示“桌面图标设置”窗口中，选择“计算机”选项。

(5)单击“确定”按钮。

5. (1)更改计算机主题的操作步骤如下：

①右击 Windows 桌面空白区域。

②单击弹出菜单的“个性化(R)”命令。

③在弹出的窗口中，选择需要设置的主题即可。

(2)设置屏幕分辨率的步骤如下：

①在上面打开的窗口中，单击“显示”命令(在窗口左下部)。

②单击弹出窗口中的“调整分辨率”命令(在窗口左上部)。

③在“分辨率”右侧的下拉列表中选择需设置的分辨率。

④单击“确定”按钮。

第二章 Word 2010 文字处理

一、选择题

1	2	3	4	5	6	7	8	9	10
ABC	ACD	BD	ABD	A	ABCD	ABCD	ABCD	ABCD	ABC
11	12	13	14	15	16	17	18	19	20
AD	D	ACD	ABCD	ABCD	A	C	ABC	ABCD	ABCD
21	22	23	24	25	26	27	28	29	30
BCD	D	ABCD	ABCD	ABCD	BD	A	B	ABCD	ABCD

二、填空题

1. 嵌入型、浮于文字上方
2. 上标设置或取消设置、插入换行符
3. 改写
4. 选择全部内容
5. 可多次粘贴复制的格式
6. 首行缩进、悬挂缩进
7. 两端对齐、分散对齐
8. 保持中心不变缩放形状
9. 文档按节进行页面设置
10. F9

三、操作题

打开 Word 2010,对默认创建的新文档完成以下操作:

(1)设置纸张大小。

①单击“页面布局”选项卡。

②单击“纸张大小”命令。

③单击弹出菜单项“其他页面大小(A)...”。

④在弹出的“页面设置”对话框中,将宽度设置 148mm,高度设置为 100mm。

(2)绘制图章。

①绘制图章轮廓。

- 单击“插入”选项卡“插图”组的“形状”命令。
- 单击弹出列表项“椭圆”(“基本形状”类别中的第三个)。
- 按下【Shift】键在文档中画出一个适当大小的圆。
- 右击绘制的圆,再单击弹出菜单的“设置形状格式(O)...”命令。
- 在弹出的如图附-3所示的窗口中,“填充”类别选择“无填充”。
- 线型:宽度设置6磅、复合类型选择“由粗到细”。
- 线条颜色:深红(R=192、G=B=0),效果如图附-4左一所示。

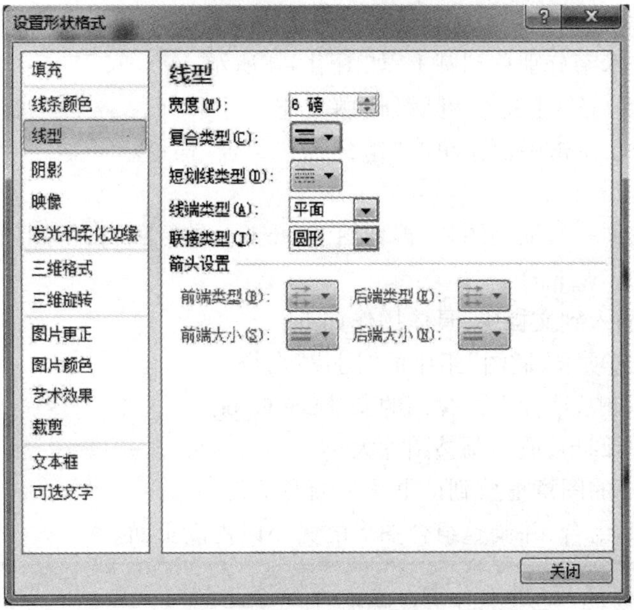

图附-3　“设置形状格式”窗口

图附-4　图章设置效果

②设计图章内文字。

- 单击“插入”选项卡“文本”组的“艺术字”命令。
- 在弹出的艺术字样式列表中单击第一行第二个选项。
- 在艺术字输入框输入:程序设计组委会。
- 选择艺术字后,单击“绘图工具 格式”选项卡。
- 单击“艺术字样式”组中的“文本效果”命令。
- 单击弹出菜单的“转换(T)”→“圆”命令(“跟随路径”第三个)。
- 将艺术字移到圆的上方,拖动艺术字四角或边线调整。

③绘制五角星。

- 单击“插入”选项卡“插图”组的“形状”命令。

- 单击弹出列表项“五角星”命令（“星与旗帜”类别第四个）。
- 在文档中画出一个适当大小的五角星。
- 单击“绘图工具 格式”选项卡。
- 在“形状样式”组中单击“形状填充”。
- 单击弹出菜单项“无填充颜色(N)”。
- 在“形状样式”组中单击“形状轮廓”。
- 单击弹出列表项“深红”（也可自定义颜色 R＝192，G＝B＝0）。

④组合图形。

- 将五角星、艺术字分别移到圆上，如图附－4 所示。
- 单击五角星后，按下【Shift】键后分别单击艺术字和圆。
- 右击选择框线，单击弹出菜单的“组合”→“组合”命令。

（3）证书图片的设计。

①通过百度，找到一幅证书图片，再利用 Photoshop 进行编辑，得到证书图片，如图附－5 所示（假定保存在 D:\bk. jpg）。

②将证书图片插入到文档中，具体操作如下：

- 单击“插入”选项卡“插图”组中的“图片”命令。
- 在弹出的窗口中，选择上面存储的图片D:\bk.jpg。
- 拖动图片框的四角，适当调整图片大小。
- 将前面设计好的图章拖放到证书图片的右下角。
- 将证书和图章组合，并调整组合图形的大小以占满页面。

图附－5　证书样图

（4）保存为模板。

①按【Ctrl＋S】组合键保存文档，弹出“另存为”对话框。

②将“保存类型”设置为“Word 模板(*. dotx)”。

③确定保存位置和文件名（假定保存为 D:\x01.dotx）。

④单击“保存”按钮。

(5)以模板创建新文档,并根据数据表的每条记录分别生成证书。

①以模板创建新文档。

- 单击“文件”菜单。
- 在弹出的窗口中,单击“新建”命令,如图附-6所示。
- 单击“根据现有内容新建”。
- 在弹出的窗口中选择前面创建的模板文件 D:\x01.dotx。

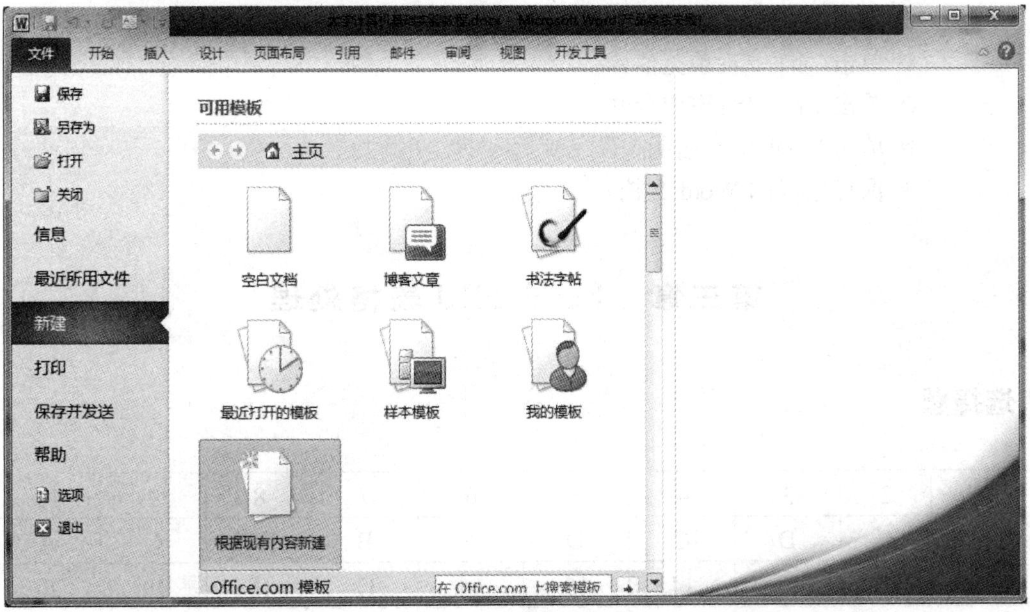

图附-6 “新建”文档窗口

②创建数据源。

- 按【Win+E】组合键打开资源管理器,创建文本文件 D:\data.txt。
- 双击 D:\data.txt,打开记事本。
- 在文件中输入以下内容(注意逗号为半角逗号):

  姓名,获奖名次
  赵少兵,三
  钱伟,一
  孙立华,二
  李前,三
  周四海,三

- 保存文件并关闭记事本。

③按数据源记录生成每个人的证书。

- 单击“邮件”选项卡“开始邮件合并”命令。
- 单击弹出菜单的“邮件合并分步向导(W)...”命令。
- 在弹出的“邮件合并”任务窗格(在 Word 窗口右侧)中进行如下操作:
  - ❖ 选择“信函”类型后单击“下一步:正在启动文档”。
  - ❖ 选择“使用当前文档”后单击“下一步:选取收件人”。
  - ❖ 单击“浏览”按钮,在弹出的窗口中选择文件 D:\data.txt(先后会弹出两个对话框,注意第二个对话框中选择全部选项)。

- 单击"下一步:撰写信函"。
- 在图片的文字"同学"前插入一个简单文本框,并调整字体字号。
- 单击"邮件"选项卡"插入合并域"→"姓名"。
- 在图片的文字"设计"后插入一个简单文本框,并调整字体字号。
- 单击"邮件"选项卡"插入合并域"→"获奖名次"。
- 将两个文本框与图片组合。
- 单击"下一步:预览信函"。
- 单击"下一步:完成合并"。
- 单击"编辑单个信函…"。
- 保存生成的 Word 文档。

第三章 Excel 2010 表格处理

一、选择题

1	2	3	4	5	6	7	8	9	10
B	C	D	C	D	A	B	ABCD	C	A
11	12	13	14	15	16	17	18	19	20
C	B	ABCD	A	ABCD	ABCD	D	ABC	A	C
21	22	23	24	25	26	27	28	29	30
ABCD	D	ABCD	AB	AB	D	AC	C	ABC	B

二、填空题

1. . xlsx

2. 3

3. 6、6

4. 先输入半角符号"'"再输入身份证号码(或将单元格格式设置为"文本"后再输入身份证号码、或先输入" ="""再在一对引号中输入身份证号码)、先输入半角符号"'"再输入分数(或将单元格格式设置为"分数"后再输入分数)

5. 右对齐

6. 分类(或排序)

7. "百分比"

8. 单击"数据"选项卡中"删除重复项"命令

9. 二

10. =COUNTIF(A:A,"* 会计* ")

11. 条件字段、条件表达式

12. 数据有效性
13. 条件格式
14. 图表空白区域
15. 班级

三、操作题

(1)随机生成销售量数据。

①选择单元格区域:D4:G10。

②输入公式:=Int(Rand()*81)+10。

③按【Ctrl+Shift+Enter】组合键。

说明:公式中使用随机函数 RAND 后,任何单元格数据的变化均会使公式中的 RAND 函数重新产生随机数。为了避免在修改数据的过程中销售量数据的不断变化,建议先在其他单元格区域产生随机数,再将其复制后粘贴("选择性粘贴"—"值")到 D4:G10 区域。

(2)表格线的绘制:略。

(3)由公式填充"星级"列。

①在 H4 单元格输入公式:=REPT("★",COUNTIF(D4:G4,">75"))。

②向下拖 H4 单元格的填充柄,至 H10 松开鼠标。

第四章　PowerPoint 2010 制作演示文稿

一、选择题

1	2	3	4	5	6	7	8	9	10
ABCD	B	ABC	ABCD	ABCD	ABCD	ABCD	BD	ABCD	ABCD
11	12	13	14	15	16	17	18	19	20
ABCD	ABC	ABC	ACD	ABCD	ABCD	ABCD	ABCD	ABD	ABCD

二、填空题

1. Office 主题
2. 11
3. 44
4. 新建幻灯片
5. 备注页、阅读视图
6. 讲义母版、备注母版
7. 鼠标移过
8. 上一动画之后、使用触发器

9. 12、16、7

10. 退出动画、动作路径

三、操作题

(1)—(5):略。

(6)插入 GIF 动画图片和 FLASH 动画。

①插入 GIF 动画图片。

- 单击“插入”选项卡中的“图片”命令。
- 在弹出的窗口中选择 GIF 动画图片。

②插入 FLASH 动画。

- 确保已安装 Flash 播放器(可从网络免费下载并安装)。
- PPT 显示“开发工具”选项卡(默认不显示)。
- 单击“文件”菜单。
- 在弹出的窗口中单击“选项”命令(位于窗口左中部)。
- 在弹出的窗口中单击“自定义功能区”命令(位于窗口左侧)。
- 在弹出的如图附 - 7 所示的窗口中选择“开发工具”选项。
- 单击“确定”按钮。

图附 - 7 “PowerPoint 选项”窗口

- 单击“开发工具”选项卡“控制”组的“其他控件”图标 。

- 在弹出的如图附 - 8 所示窗口的列表中选择“Shokwave Flash Object”项。
- 单击“确定”按钮。
- 在幻灯片上按下鼠标左键并拖动，画出 Flash 播放窗口。
- 右击 Flash 播放窗口，单击弹出菜单的“属性(I)”命令。
- 在弹出的“属性”窗口中，将“Movie”设置为 Flash 动画的文件名(如：D:\myFlash.swf)。
- 关闭“属性”窗口。

图附 - 8　“其他控件”窗口

图附 - 9　音频选项

(7)播放背景音乐。

①选择第一张幻灯片。

②单击“插入”选项卡中的“音频”→“文件中的音频(F)...”命令。

③在弹出的窗口中选择音频文件。

④在“音频工具 播放”选项卡的“音频选项”组，如图附 - 9 所示中进行如下设置：

- “开始”选项为“跨幻灯片播放”。
- 选择“循环播放，直到停止”选项。
- 选择“放映时隐藏”选项。

第五章 WPS 2016 简单应用

一、选择题

1	2	3	4	5	6	7	8	9	10
ABCD	ABCD	ABCD	A	ABC	BCD	B	ABC	ABCD	ABCD

二、填空题

1. 添加新行或新列
2. 删除表格全部数据
3. 使用文本文件创建数据源（第一行字段，其他各行为记录。数据间以半角逗号符分隔）
4. 对单元格区域 C2:C12 中，A 列对应数据不小于 60、B 列对应数据为“2 班”的所有单元格数据求和
5. 浮于文字上方
6. 设置幻灯片的切换效果、设置对象显示动画
7. 一
8. 表单
9. 手机已连接网络并安装有 WPS Office 手机版（或微信已关注“WPS 办公助手”）
10. WPS 文档、WPS 演示、WPS 表格、便笺

三、操作题

1. 利用 WPS 文字可自动生成目录并按节设置页眉和页脚。操作方法可参考第二章“拓展性实验”的任务 2。

2. WPS 文字的“引用”选项卡中提供了“邮件”命令，利用该命令可实现邮件合并功能，操作方法可参考第二章“拓展性实验”的任务 4。

3. WPS 表格的“数据”选项卡中提供了“数据有效性”命令，可参考 Excel 中的操作完成。

4. 可参考 WPS H5 提供的“会议邀请”类别的模板进行设计。第三页的报名表部分可利用表单实现，具体操作可参考第五章“拓展性实验”的任务 4。